Em algum lugar do paraíso

LUIS FERNANDO

VER!SSIMO

Em algum lugar do paraíso

EM ALGUM LUGAR DO **PARAÍSO**

As datas deveriam nos fixar no tempo como as coordenadas geográficas nos fixam no espaço, mas a analogia não funciona.

EM ALGUM LUGAR DO

PARAÍSO

O tempo não tem pontos fixos, o tempo é uma sombra que dá a volta na Terra. Ou a Terra é que dá voltas na sombra. Nossa única certeza é que será sempre a mesma sombra — o que não é uma certeza, é um terror.

Na nossa fome de coordenadas no tempo nos convencemos até que dias da semana têm características. Que uma terça-feira, por exemplo, não serve para nada. Que terça é o dia mais sem graça que existe, sem a gravidade de uma segunda — dia de remorso e decisões — e o peso da quarta, que centraliza a semana (pelo menos em Brasília), ou a concentração da quinta, ou a frivolidade da sexta. Gostaríamos que passar pelos dias fosse como passar por meridianos e paralelos, a evidência de estarmos indo numa direção, não entrando e saindo da mesma sombra. Não passando por cada domingo com a nítida impressão de que já estivemos aqui antes.

Já que não há coordenadas e pontos fixos no tempo, contentemo-nos com metáforas fáceis. O novo milênio se estende como um imenso pergaminho à nossa frente, esperando para ser preenchido. Podemos escolher nosso destino, desenhar nossos próprios meridianos e paralelos e prováveis novos mundos. É verdade que a passagem do tempo não se mede apenas pelo retorno dos domingos, também se mede pela degradação orgânica, e que a cada domingo estaremos mais perto daquela outra sombra, a que nunca acaba, suspiro e reticências. Nenhum de nós chegará muito longe no novo milênio. (Minha meta é chegar à Copa do Mundo de 2014, o que vier depois é gratificação.) Mas é bom saber que o novo milênio está aí, quase inteiro, à nossa espera.

Nada a ver — ou tudo a ver, sei lá — mas feliz era Adão, o primeiro homem. Não porque estava no jardim do Paraíso, com tudo em volta para saciar sua fome e sua sede, mas porque não sabia do tempo e da morte. Vivia num eterno presente, num eterno domingo. O que vinha depois da passagem da sombra da noite não era o dia seguinte, era o mesmo dia, ou até o dia anterior, quem se importava? Adão, sozinho no Paraíso, era um homem feliz porque era um homem sem datas. Mas quando Deus colocou Eva ao lado de Adão, a primeira coisa que ela perguntou, ainda úmida da criação, só para puxar assunto, foi: "Que dia é hoje?", e ele sentiu que sua paz terminara. Ele era um homem no tempo. Um homem com um ontem e um amanhã, e um futuro estendido à sua frente como um imenso pergaminho, esperando para ser preenchido. O tempo não foi a única novidade trazida por Eva ao jardim do Paraíso. Foi ela que, dias depois, colheu o fruto proibido, que os tornou, de uma só mordida, sexuais e mortais. E foi depois de comer o fruto proibido, quando a Terra entrou na sombra da noite e os dois se deitaram lado a lado, que Adão sentiu seu membro, que ele pensara que fosse só para fazer xixi, se mexer. E avisou a Eva:

— É melhor chegar para trás porque eu não sei até onde este negócio cresce.

Depois de ganhar uma mulher e descobrir o tempo e sua mortalidade, Adão descobriu seu próprio corpo. Que semana!

VERSÕES

Vivemos cercados pelas nossas alternativas, pelo que podíamos ter sido.
Ah, se apenas tivéssemos acertado aquele número

VERSÕES

(unzinho e eu ganhava a sena acumulada), topado aquele emprego, completado aquele curso, chegado antes, chegado depois, dito sim, dito não, ido para Londrina, casado com a Doralice, feito aquele teste...

Agora mesmo neste bar imaginário em que estou bebendo para esquecer o que não fiz — aliás, o nome do bar é Imaginário — sentou um cara do meu lado direito e se apresentou:

— Eu sou você, se tivesse feito aquele teste no Botafogo.

E ele tem mesmo a minha idade e a minha cara. E o mesmo desconsolo.

— Por quê? Sua vida não foi melhor do que a minha?

— Durante um certo tempo, foi. Cheguei a titular. Cheguei à seleção. Fiz um grande contrato. Levava uma grande vida. Até que um dia...

— Eu sei, eu sei... — disse alguém sentado ao lado dele.

Olhamos para o intrometido... Tinha a nossa idade e a nossa cara e não parecia mais feliz do que nós. Ele continuou:

— Você hesitou entre sair e não sair do gol. Não saiu, levou o único gol do jogo, caiu em desgraça, largou o futebol e foi ser um medíocre propagandista.

— Como é que você sabe?

— Eu sou você, se tivesse saído do gol. Não só peguei a bola como me mandei para o ataque com tanta perfeição que fizemos o gol da vitória. Fui considerado o herói do jogo. No jogo seguinte, hesitei entre me atirar nos pés de um atacante e não me atirar. Como era um herói, me atirei... Levei um chute na cabeça. Não pude ser mais nada. Nem propagandista. Ganho uma miséria do INSS e só faço isto: bebo e me queixo da vida. Se não tivesse ido nos pés do atacante...

— Ele chutaria para fora.

Quem falou foi o outro sósia nosso, ao lado dele, que em seguida se apresentou.

— Eu sou você se não tivesse ido naquela bola. Não faria diferença. Não seria gol. Minha carreira continuou. Fiquei cada vez mais famoso, e agora com fama de sortudo também. Fui vendido para o futebol europeu, por uma fábula. O primeiro goleiro brasileiro a ir jogar na Europa. Embarquei com festa no Rio...

— E o que aconteceu? — perguntamos os três em uníssono.

— Lembra aquele avião da Varig que caiu na chegada em Paris?

— Você...

— Morri com 28 anos.

Bem que tínhamos notado sua palidez.

— Pensando bem, foi melhor não fazer aquele teste no Botafogo...

— E ter levado o chute na cabeça...

— Foi melhor — continuou — ter ido fazer o concurso para o serviço público naquele dia. Ah, se eu tivesse passado...

— Você deve estar brincando.

Disse alguém sentado a minha esquerda. Tinha a minha cara, mas parecia mais velho e desanimado.

— Quem é você?

— Eu sou você, se tivesse entrado para o serviço público.

Vi que todas as banquetas do bar à esquerda dele estavam ocupadas por versões de mim no serviço público, uma mais desiludida do que a outra. As consequências de anos de decisões erradas, alianças fracassadas, pequenas traições, promoções negadas e frustração. Olhei em volta. Eu lotava o bar. Todas as mesas estavam ocupadas por minhas alternativas e nenhuma parecia estar contente. Comentei com o barman que, no fim, quem estava com o melhor aspecto, ali, era eu mesmo. O barman fez que sim com a cabeça, tristemente. Só então notei que ele também tinha a minha cara, só com mais rugas.

— Quem é você? — perguntei.

— Eu sou você, se tivesse casado com a Doralice.

— E...?

Ele não respondeu. Só fez um sinal, com o dedão virado para baixo.

O OLHAR
DA TRUTA

O homem pediu truta e o garçom perguntou se ele não gostaria de escolher uma pessoalmente.

— Como, escolher?

O OLHAR
DA TRUTA

— No nosso viveiro. O senhor pode escolher a truta que quiser.

Ele não tinha visto o viveiro ao entrar no restaurante. Foi atrás do garçom. As trutas davam voltas e voltas dentro do aquário, como num cortejo. Algumas paravam por um instante e ficavam olhando através do vidro, depois retomavam o cortejo. E o homem se viu encarando, olho no olho, uma truta que estacionara com a boca encostada no vidro à sua frente.

— Essa está bonita... — disse o garçom.

— Eu não sabia que se podia escolher. Pensei que elas já estivessem mortas.

— Não, nossas trutas são mortas na hora. Da água direto para a panela.

A truta continuava parada contra o vidro, olhando para o homem.

— Vai essa, doutor? Ela parece que está pedindo...

Mas o olhar da truta não era de quem queria ir direto para uma panela. Ela parecia examinar o homem. Parecia estar calculando a possibilidade de um diálogo.

Estranho, pensou o homem. Nunca tive que tomar uma decisão assim. Decidir um destino, decidir entre a vida e a morte. Não era como no supermercado, em que os bichos já estavam mortos e a responsabilidade não era sua — pelo menos não diretamente. Você podia comê-los sem remorso. Havia toda uma engrenagem montada para afastar você do remorso. As galinhas vinham já esquartejadas, suas partes acondicionadas em bandejas congeladas, nada mais distante da sua responsabilidade. Os peixes jaziam expostos no gelo, com os olhos abertos mas sem vida. Exatamente, olhos de peixe morto. Mas você não decretara a morte deles. Claro, era com sua aprovação tácita que bovinos, ovinos, suínos, caprinos, galinhas e peixes eram assassinados para lhe dar de comer. Mas você não estava presente no ato, não escolhia a vítima, não dava a ordem. Não via o sangue. De certa maneira, pensou o homem, vivi sempre assim, protegido das entranhas do mundo. Sem precisar me comprometer. Sem encarar as vítimas. Mas agora era preciso escolher.

— Vai essa, doutor? — insistiu o garçom.

— Não sei. Eu...

— Acho que foi ela que escolheu o senhor. Olha aí, ficou paradinha. Só faltando dizer "Me come".

O homem desejou que a truta deixasse de encará-lo e voltasse ao carrossel junto com as outras. Ou que pelo menos desviasse o olhar. Mas a truta continuava a fitá-lo. Ele estava delirando ou aquele olhar era de desafio?

— Vamos — estava dizendo a truta. — Pelo menos uma vez na vida, seja decidido. Me escolha e me condene à morte, ou me deixe viver. A decisão é sua. Eu não decido nada. Sou apenas um peixe, com cérebro de peixe. Não escolhi estar neste tanque. Não posso decidir a minha vida, ou a de ninguém. Mas você pode. A minha e a sua. Você é um ser humano, um ente moral, com discernimento e consciência. Até agora foi um protegido, um desobrigado, um isento da vida. Mas chegou a hora de se comprometer. Você tem uma biografia para decidir. A minha. Agora. Depois pode decidir a sua, se gostar da experiência. O que não pode é continuar se escondendo da vida, e....

— Vai essa mesmo, doutor? — quis saber o garçom, já com a rede na mão para pegar a truta.

— Não — disse o homem. — Mudei de ideia. Vou pedir outra coisa.

E de volta na mesa, depois de reexaminar o cardápio, perguntou:

— Esses camarões estão vivos?

— Não, doutor. Os camarões estão mortos.

— Pode trazer.

VÍAMOS OS NOSSOS PÉS

O outono é a única estação civilizada. A primavera é um descontrole glandular da Natureza. O inverno é o preço que a gente paga

VÍAMOS OS

NOSSOS PÉS

para ter o outono, e por isso está perdoado. O verão é uma indignidade. Eu deveria ser um par de garras serrilhadas escapulindo pelo chão de mares silenciosos, ou pelo menos um falso inglês como o Eliot. Clássicos ao pé do fogo, um vago cachorro e sherry seco contra o catarro. Um gentleman não deve suar, meu caro. As frutas têm suco, não um inglês. Nas colônias, os nativos suavam por nós, e... É sempre assim. Quando chega o verão começo a me imaginar em Londres, estocando meus tintos para o inverno. Mas é claro que não aguentaria duas semanas como inglês sem começar a maldizer a umidade e a sonhar com o sol.

Mas não sou uma pessoa tropical. Minha terra preferida é o outono em qualquer lugar. No outono as coisas se abrandam e absorvem a luz em vez de refleti-la. É como se a Natureza etc., etc. (O verão não é uma boa estação para literatura descritiva. Me peça o resto da frase no outono.)

Sempre digo que a praia seria um lugar ótimo se não fossem a areia, o sol e a água fria. É só uma frase. Gosto do mar. O diabo é que a gente sempre tem na cabeça um banho de mar perfeito que nunca se repete. O meu aconteceu em Torres, Rio Grande do Sul, em algum ano da década de 50. Sim, crianças, em 50 já existiam Torres, o oceano Atlântico e este cronista, todos bem mais jovens. O mar de Torres estava verde como nunca mais esteve. Via-se o fundo?

Via-se o fundo.

Víamos os nossos pés, embora a água estivesse pelo nosso pescoço, e como eram jovens os nossos pés. Havia algas no mar? Iodo, mães-d'água, siris, dejetos, náufragos, sereias? Não, a água estava límpida como nunca mais esteve. Os únicos objetos estranhos no mar eram os nossos pés, e como isso faz tempo. Até que horas ficamos na água? Alguns anoiteceram dentro d'água e estariam lá até agora se não tivessem que voltar para a cidade, se formar, fazer carreira, casar, envelhecer, essas coisas.

Como o cronista explica sua aversão ao verão depois de tais lembranças? É que eu não gostava do verão. Gostava de ser mais moço.

TEMPERATURA **AMBIENTE**

Calor. Muito calor. Deve ser o ar-condicionado. Estes hotéis modernos exageram. O calor me acordou. Isto aqui está um forno.

TEMPERATURA
AMBIENTE

Vou levantar e procurar o controle da temperatura. O termostato. Onde ficará o termostato? Não tem termostato. É aquecimento central. Vou telefonar para a portaria. Dizer que assim não dá, pedir para diminuírem. Qual será o número? Engraçado, o telefone só tem um botão. Sem número. Como eu faço pra ligar pra fora? Esses hotéis modernos... Espera um pouquinho. O que eu estou fazendo num hotel? Fui dormir ontem à noite na minha cama e acordo numa cama de hotel? Ou não foi ontem à noite, já se passaram dias e eu é que não me lembro? O que será que eu andei fazendo? E como vim parar aqui, neste quarto sem nenhuma decoração, sem... Meu Deus, sem janela! E sem porta!! Como é que eu entrei aqui? Como é que eu vou sair daqui?! O quarto só tem uma cama e uma mesa de cabeceira com o telefone. E uma televisão. Nem um quadro na parede, nem uma paisagem. E este calor! A televisão. Vou ligar a televisão e descobrir ao menos onde eu estou. Pronto. Reprise de *Jeannie é um gênio*. Onde é que se muda o canal? Ah, ótimo, não tem como mudar de canal. O telefone. Vou apertar o botão do telefone e ver o que acontece. Alguém vai ter que atender. Alguém vai ter que me dar explicações.

— Alô.

— Alô? Sim. Olha. Para começar, o calor está terrível. Não dá para diminuir o aquecimento no quarto?

— Não senhor. Esta é a nossa temperatura ambiente normal.

— Outra coisa: a televisão só pega um canal. Que está dando uma reprise de *Jeannie é um gênio*.

— Sim senhor. Só tem esse canal, e é sempre a mesma reprise.

— Mas... mas... Isto aqui é o inferno!

— Não senhor. É o purgatório. No inferno a reprise de *Jeannie é um gênio* é dublada em espanhol.

ANCHOVAS **NORUEGUESAS**

— Bem...
— Quié, Luiz Otávio.
— Não estou encontrando a marca de ervilhas que você pediu.

ANCHOVAS
NORUEGUESAS

— É uma lata verde, Luiz Otávio. Procura bem que você acha.

— Lata de ervilha, aqui, só tem... Deixa ver. Pode ser esta? Dabeng?

— Dabeng?!

— Petipoá. Só consigo entender isso do que está escrito na lata. Petipoá Dabeng.

— Luiz Otávio, onde você está? Aí é a seção de importados, Luiz Otávio.

— Mas essa Dabeng não é boa?

— É muito boa. E muito cara.

— Não parece tão cara assim...

— Luiz Otávio, essas ervilhas são colhidas uma a uma por virgens no Tibete. São caríssimas. Sai daí, Luiz Otávio. Procura as ervilhas na seção de enlatados nacionais.

— Epa! Olha o que tem aqui. Anchovas norueguesas. Lembra, bem?

— Lembro, Luiz Otávio. Lembro. Mas sai da seção de importados e compra o que eu pedi.

— Sabe que a latinha de anchovas continua igualzinha à que a gente comprava?

— Que bom. Mas não é mais para o nosso bico.

— Lembra como a gente comia as anchovas com pão, e aquele vinho português que eu descobri?

— Lembro, Luiz Otávio. Mas isso foi no tempo em que a gente podia.

— Sabe de uma coisa? Vou levar as anchovas.

— Não faça isso, Luiz Otávio. E sai da seção de importados imediatamente!

— Só uma latinha. Pelos velhos tempos.

— Eu proíbo você de trazer qualquer coisa da seção de importados desse supermercado, Luiz Otávio.

— Proíbe?

— Proíbo sim senhor. Sou eu que estou pagando por essas compras. Eu que cuido do nosso orçamento. Eu que controlo nossos gastos para evitar supérfluos e extravagâncias.

— Muito bem. Continue, continue. Diga que você é que está pagando porque o dinheiro é seu. Porque eu sou um imprestável. Porque eu estou desempregado. Porque não sou nada que você pensou que eu fosse quando casou comigo, eu com aquela minha pose de grã-fino e de entendido em vinhos. Diga que nós estamos nesta situação por culpa da minha pose. Diga.

— Luiz Otávio...

— Olha, tem gente aqui me olhando enviesado. Parece que nunca viram um homem despejando sua amargura num telefone celular, dentro de um supermercado. E na seção de importados. É isto mesmo, gente. Vocês estão vendo um fracassado numa crise emocional e conjugal. Estas anchovas norueguesas são um símbolo do meu fracasso. Do fracasso de um casamento. Do fracasso de uma vida. Estas aqui, ó.

— Luiz Otávio, traz as anchovas norueguesas.

— O quê?

— Para de dar vexame e traz essas malditas anchovas norueguesas.

— É só para lembrar os velhos tempos, bem.

— Está bem, está bem.

— Vou comprar o pão para comer com as anchovas. E procurar um vinho adequado. Algo leve, sem muito tanino e com um bom final.

— Está bem, Luiz Otávio. Depois vem pra casa. Pega as ervilhas nacionais e vem pra casa.

— Certo.

— E esta é a última vez que eu peço para você ir ao supermercado.

A TEORIA
DO RALO

Seu nome é Jean-Paul Quelquechose e ele é o maître de um hipotético restaurante na Côte D'Azur — chamado, aliás, "L'Hypothétique".

A TEORIA
DO RALO

Um velho observador do mar e das fortunas humanas, ele achava que as duas coisas se pareciam. Os ricos também vinham em ondas como o mar, e mesmo que quebrassem na costa como as ondas, atrás viriam outros, e outros e mais outros. Cada onda era diferente mas o mar era sempre o mesmo, assim como cada geração de ricos era diferente mas a riqueza que as impelia para a praia, e para o seu restaurante, era constante e confiável. Podia subir ou descer — como a maré — mas não falhava. Jean-Paul já passara por períodos de preamar e baixa-mar das fortunas, já vira um nobre arruinado se matar na sua frente, derrubando um faisão flambado na queda, e uma jovem herdeira chorar dentro da "bisque" com a perspectiva da miséria, e uma vez fora obrigado a botar três magnatas falidos e suas mulheres a limpar peixe na cozinha para pagar a conta de um jantar. Mas atrás de cada rico em desgraça vinha um mais rico, onda após onda. Agora não. Que Jean-Paul se lembre, a coisa nunca esteve como agora.

As ondas não estão vindo, as ondas só estão indo. É como se o mar se retraísse. Como se o mar que ele via através dos janelões do seu restaurante se esvaziasse. Como se um ralo tivesse sido aberto no fundo do mar. Foi o que Jean-Paul disse para seu entrevistador, que comentara o pouco movimento do restaurante em plena temporada de inverno.

A teoria do ralo.

— Só pode ser isso. Para onde foi todo o dinheiro? Só pode ter desaparecido por um ralo.

— Os ricos não estão mais vindo?

— Os ricos não são mais ricos.

— Não tem vindo ninguém?

— Personne.

— Nem os americanos?

— Muito menos os americanos.

— Nem os árabes?

— Poucos árabes. Mas dividem os pratos e não dão mais gorjetas.

— Ninguém mais tem dinheiro...

— É um ralo. Só pode ser um ralo.

— Esta crise, então, não é como as outras, Jean-Paul?

— Não é. Passei por todas as outras e sei. Esta é diferente. Esta vai ficar na História. Se houver História depois dela...

— Pelo menos você ainda tem essa vista bonita do mar da Côte, e agora com bastante tempo para contemplá-la.

— Não me fale. Quando olho o mar só consigo pensar no que ele tem de sobra e ninguém mais tem.

— O quê?

— Liquidez.

— Bom, já vou indo. Obrigado pela...

— Epa, você não está esquecendo uma coisa?

— O quê?

— Minha gorjeta.

— Mas nós só conversamos, você não me serviu nada.

— E a filosofia?

PATO
DONALD

Casal preparando-se para sair. Ela uns 40 e poucos anos, ele 50. Ela pede:
— Me fecha atrás?
Ele:

PATO
DONALD

— Ahn?

— O vestido, Sérgio. Fecha o vestido.

— Ah.

Ele tenta fechar o vestido dela atrás, mas não consegue. Em 25 anos de vida conjugal, é a primeira vez que tem dificuldade em fechar o vestido dela atrás.

— O que foi, Sérgio?

— Calma, Dulce. Preciso me concentrar.

Ele finalmente consegue fechar o vestido.

— Pronto. Dever cumprido.

— O que você tem, Sérgio?

— Por quê?

— Parece distraído. E ainda não terminou de se vestir. Nós vamos chegar tarde ao jantar.

Ele senta-se na cama.

— Dulce, eu vou confessar uma coisa.

Dulce olha para o marido com surpresa. Uma confissão? Que confissão? Uma amante? Um problema na firma? Estamos arruinados? O quê?

— O quê, Sérgio?

— Eu nunca entendi o que o Pato Donald dizia.

Dulce controla a vontade de bater no marido.

— Que loucura é essa, Sérgio?

— Passei toda a minha infância fingindo que entendia, mas não entendia. Você entendia?

— Por que isto agora, Sérgio? Você está muito estranho.

— Eu ria, mas não entendia. Era um riso falso.

— Sérgio, pelo amor de Deus. Vamos parar com essa loucura e acabar de nos vestir. Já estamos atrasados e você nem...

— Eu não devia ser o único. Muito mais gente não entendia o Pato Donald. Podíamos até nos reunir. Os que não entendiam o que o Pato Donald dizia. Talvez formar uma associação...

Dulce senta-se na cama ao lado do marido. Sente que o que está em jogo é seu casamento. São 25 anos de vida conjugal ameaçados por aquela súbita loucura do marido. Decide apelar para a razão. Enfrentar a estranheza com uma boa conversa. Nada como uma boa conversa para se encontrar a solução de qualquer coisa, mesmo a insanidade. Ou adiá-la.

— Eu compreendo, Sérgio. É a idade, não é? Você não está sabendo lidar com os 50 anos. Parece que existe até um nome para isso, a depressão do meio século, alguma coisa assim. Para mim também não foi fácil passar dos 40. Podemos conversar sobre isso depois. Mas no momento o mais importante é não chegar atrasados no jantar. Vamos nos vestir e...

— Eu fico pensando no que o Pato Donald dizia, com aquela sua dicção incompreensível. Em tudo que eu perdi...

Dulce levanta-se, impaciente.

— Ora faça-me um favor, Sérgio! Você não perdeu nada. O que o Pato Donald teria de importante para dizer? Que valesse a pena? Que fosse fazer alguma diferença na sua vida?

— Não sei. Não sei. Quem sabe eu não seria outro homem, hoje, se entendesse o que o Pato Donald dizia?

Durante o jantar, Dulce fica cuidando Sérgio. Vê que ele quase não fala com as pessoas ao seu redor. É o estresse, pensa. A crise. A angústia dos 50 anos. Da conversa dele com uma mulher sentada ao seu lado ela só capta uma frase solta, dita pela mulher:

— Sabe que eu também não?

Mas a mulher também o olha com estranheza. E Sérgio retorna ao seu silêncio, com o olhar parado.

No carro, voltando para casa, Dulce sugere que Sérgio procure alguém para conversar. Quem sabe o dr. Maurício, o amigo psiquiatra? Sérgio concorda, entusiasmado.

— O dr. Maurício. Sim, sim. Ele certamente também não entendia o que o Pato Donald dizia. Deve conhecer outras pessoas que não entendiam. Podemos começar a associação!

Dulce suspira. Decide que terá que aprender a conviver com a loucura do marido. Talvez seja passageira e não interfira na vida econômica do casal. Preocupante mesmo, pensa ela, é a inédita dificuldade dele em fechar seu vestido atrás. Aquilo, sim, poderia afetar a relação.

ENTERROS

O enterro, com perdão da indiscrição, será o seu mesmo?
Sim. Quero deixar tudo pronto para quando chegar

a hora. Sou um homem precavido.

Pois não. Aqui está o nosso catálogo. Como o senhor vê, podemos oferecer um enterro Deluxe Classe A, top de linha. Caixão de madeira nobre com revestimento interno de cetim e travesseirinho bordado. O preço inclui o antes e o depois do enterro.

O antes e o depois?

Sim. Providenciamos os canapés e o vinho e a participação de um quarteto de cordas tocando seleções do barroco, durante o velório. Além da decoração da capela com motivos da vida do morto, e de manobristas e recepcionistas.

E o depois?

Temos um serviço exclusivo de encomendação da alma que assegura um atendimento VIP no Além, com garantia de colocação no Céu independentemente da cotação moral do morto.

E funciona?

Até hoje ninguém se queixou.

Não sei... Eu queria algo um pouco menos...

Veja. Nossa linha Deluxe Classe B é quase igual à Classe A, apenas sem os canapés e com água e refrigerantes em vez de vinho. Também não inclui manobristas e recepcionistas, e o quarteto de cordas é substituído por um duo de violino e violoncelo. E não tem travesseirinho.

E o atendimento especial, no Além?

Fazemos a requisição, mas não há garantia de que será atendida. Depende muito do trânsito, lá em cima.

Não tem algo mais barato?

Sim. Este aqui é o nosso enterro padrão, Classe C. É o mais procurado. A madeira do caixão e o revestimento interno são de qualidade inferior, mas perfeitamente aceitáveis e de durabilidade garantida. Não há serviço de copa, nem manobristas e recepcionistas, e a decoração se resume num arranjo de flores, mas a música quem faz é um acordeonista com um excelente repertório sacro.

E a recepção, lá em cima?

Por este preço, não podemos prometer tratamento diferenciado.

Ainda não é bem o que eu queria...

Sim. Bom. Esta é a nossa linha popular, que chamamos de Bom Despacho. O caixão é de pinho, não há música e as flores são de plástico.

E a alma, quando chega no Além?

Tem que pegar uma senha como todo mundo.

Também não é isso que eu quero...

Perdão, cavalheiro. Mas quanto, exatamente, o senhor pode pagar?

Depende. Qual é o seu enterro mais barato?

Tome.

O que é isso?

O que o senhor está vendo. Uma pá.

Uma pá?

Ou faça o seu próprio enterro, ou aceite um conselho.

Qual?

Morra em outro lugar.

LÍNGUA NO **OUVIDO**

Chegou o dia da separação, e o problema de sempre: o que é de quem?

— E os CDs?

— Metade para cada um.

LÍNGUA NO
OUVIDO

— Como, metade para cada um? Eu quero escolher os meus.

— Está bem, está bem.

Ela começou a separar os CDs. Os que ela queria numa pilha, os que podiam ficar com ele em outra.

— Espera lá! — gritou ele, no meio da operação. — Os Beatles ficam comigo!

— Não sei por quê — reagiu ela. — Botei todos os Luis Miguel na sua pilha.

— E eu lá quero o Luis Miguel? Nunca gostei do Luis Miguel.

— Arrá! Grande revelação. Ele nunca gostou do Luis Miguel. Quer dizer que tudo aquilo era uma farsa?

* * *

O que ela queria dizer com "tudo aquilo": os dois dançando ao som de um bolero cantado por Luis Miguel. O apartamento na penumbra, iluminado apenas pela vela em cima da mesa em que tinham jantado. Só os dois. Colados um no outro. E ele (anos atrás, em outra vida) cantando junto com o Luis Miguel no ouvido dela. Ele dizendo "Você não adora o Luis Miguel?" E ela: "Adoro, adoro." E ele: "Essa vai ser a nossa música para sempre." E ela: "Para sempre, para sempre."

* * *

— Além do Luis Miguel, o que mais era mentira?

— Não mude de assunto. Os dois Beatles são meus.

— Um para cada um.

— Os dois. Na minha pilha. Pode ficar com o Luis Miguel.

— Eu odeio o Luis Miguel! Está me ouvindo? Odeio. Sempre odiei.

— Arrá! Então a fingida era você!

— E vou dizer mais. Eu odiava quando você cantava bolero no meu ouvido. E mais...

— Olha o que você vai dizer...

— Odiava quando você enfiava a língua no meu ouvido. Odiava!

— Ah, é? Ah, é? E aqueles gemidos eram pura encenação?

— Eram. Quer saber? Eram. Não sei de onde vocês tiraram que mulher gosta de língua no ouvido!

* * *

Decidiram suspender a partilha dos discos antes de se atracarem e rolarem, rosnando e trocando insultos, pelo carpete. Ele foi até a janela, respirar fundo. Ela foi examinar os fundos de armário para ter certeza de que não estavam esquecendo de nada. Foi quando ela deu com a garrafa de champanhe.

Trouxe a garrafa para ele ver.

— Lembra?

— Meu Deus. Onde estava isso?

— No fundo de um armário. Nós tínhamos guardado lá para comemorar... O que mesmo?

— Faz tanto tempo...

Tinham guardado o champanhe para abrir num dia especial, no futuro. Que dia seria esse?

Nenhum dos dois conseguiu se lembrar. E, mesmo, o champanhe já devia estar choco.

TODA A **VIDA**

Disse o homem: "Fiquei velho na época errada. Toda a minha vida foi assim. Cheguei às diferentes fases da vida quando elas já tinham

TODA A

VIDA

perdido as suas vantagens. Ou antes de adquirirem vantagens novas. Passei minha vida com aquela impressão de quem entrou na festa quando ela já tinha acabado ou saiu quando ela ia ficar boa.

"Veja você: a infância. Houve um tempo em que crianças, assim, da minha classe eram tratadas como príncipes e princesas. Está certo, elas também apanhavam muito. Mas havia as compensações. Geralmente uma avó morava junto ou morava perto e as consolava com colo e doces. E as mães não trabalhavam fora nem faziam academia ou tsao-tse-qualquer coisa. Ficavam em casa, inventando maneiras de estragar os filhos.

"Você alguma vez teve roupa de veludo? Nem eu. Sou da geração pós-veludo e pré-jeans. Às vezes olho fotografias daquelas crianças antigas com roupas ridículas, golas rendadas e babados, e me dá uma inveja... Aquilo sim era maneira de tratar criança. Acho que a minha geração deu no que deu porque nunca usou roupa de veludo. Ou cacho nos cabelos.

"Outra coisa: psicologia. Fui da primeira geração criada com psicologia. Nada de castigo — conversa. Ele rabiscou toda a parede? Está tentando expressar alguma coisa. E usou o batom da mãe? Ih, cuidado, uma surra agora pode deflagrar um processo de introjeção edipiana e traumatizá-lo para sempre. Também fui da primeira geração que, com a invenção da calculadora de bolso, não precisou decorar a tabuada. Resultado: cresci sem a noção de duas coisas importantíssimas: pecado e matemática.

"Cheguei tarde à infância e muito cedo à adolescência. A revolução sexual começou exatamente um dia depois que eu casei com a minha mulher porque era a única maneira de poder dormir com ela. Nos casamos num sábado e a revolução sexual começou no domingo. Ainda tentei desfazer o casamento, já que não precisava mais, mas não deu, estava feito.

"Minha adolescência foi um martírio. Me lembro dela como uma única e interminável tentativa de desengatar sutiãs. Os sutiãs eram presos atrás de mil maneiras. Ganchos, presilhas, botões, solda. Você precisava de um curso de engenharia para desengatá-los. Uma namorada minha usava um sutiã com uma fechadura atrás. Com combinação, como um cofre, juro. Dezessete para a esquerda, cinco para a direita, rápido que a mãe vem vindo! Você, garoto, nem deve saber o que é sutiã.

"Eu pensava ser um jovem adulto sério, engajado nas melhores causas, talvez até um ativista político, um guerrilheiro. Quando cheguei à idade, os jovens adultos estavam cuidando das suas carreiras e das suas carteiras de ações. Fui da primeira geração que quando falava em ir para as montanhas queria dizer para o fim de semana. E a última que ainda usou a palavra 'alienação', mas já sem saber bem o que queria dizer.

"Tudo bem, pensei. Vou me preparar para a velhice e os seus privilégios, com minha pensão e meus netos. Mas a Previdência está quase quebrando e minha aposentadoria é uma piada, e meus netos, quando me olham, parecem estar me medindo para um asilo geriátrico. E há meia hora que eu estou aqui chateando você com toda esta conversa e você ainda não se levantou para me dar o seu lugar."

E disse o garoto: "Pô, qual é, coroa? Esse negócio de dar lugar pra velho já era."

E suspirou o homem: "Eu não disse? Também cheguei tarde à velhice."

SOLIDÃO

Finalmente liberadas as gravações que a Nasa fez das experiências realizadas com o tenente da Marinha John Smith para

SOLIDÃO

testar o comportamento humano em condições de completo isolamento durante longos períodos de tempo, iguais ao que o homem terá que enfrentar na exploração do espaço. O tenente Smith foi escolhido pelas suas perfeitas condições físicas e mentais. Foi colocado dentro de um simulador de voo com comida bastante para dois anos e os instrumentos que normalmente levaria numa missão, inclusive um computador. Todos os dias Smith teria que fazer um relatório verbal para que seu estado fosse avaliado. O que segue são trechos das gravações feitas dos seus relatórios.

Primeiro dia. "Meu nome é John Smith. Estou ótimo. Passei todo o dia me familiarizando com este meu pequeno lar. Já desafiei o computador para uma partida de xadrez. Acho que nos daremos muito bem. (Risadas.) Só tenho uma queixa: esta comida em bisnagas não se parece nada com a comida de mamãe... (Risadas.) Dois mais dois são quatro. Encerro."

Uma semana depois. "John Smith aqui. Continuo muito bem. Ainda não consegui vencer nenhuma partida de xadrez deste computador. Acho que ele está trapaceando. (Risadas.) Três vezes três é nove. Encerro."

Um mês depois. "(Risadas.) Meu nome é John maldito Smith. Tudo bem. Um pouco entediado, mas tudo bem. Consegui finalmente ganhar uma do computador, embora ele negue. Vou ter que derrotá-lo de novo para convencer este cretino. Calculei mal e já comi todas as bisnagas de torta de maçã. Agora só tem maldito limão. Dois vezes três são, deixa ver. Seis. Quer dizer... Não. Está certo. Seis. Encerro."

Dois meses depois. "Vocês sabem quem eu sou. John qualquer coisa. Não aguento mais a arrogância deste computador. Ele não é humano! Insiste que me deu xeques-mates inexistentes e se recusa a admitir que está errado. Tivemos uma briga feia hoje. Dois mais dois são... sei lá. Encerro."

Quatro meses. "Alô. Tenho provas irrefutáveis de que o computador está tentando boicotar esta missão! Ouvi claramente ele dizer alguma coisa desagradável sobre mamãe. Canta *Strangers in the Night* em falsete e não me deixa dormir. Não me responsabilizo pelo que possa acontecer. Estou muito bem, lúcido e bem-disposto. Com licença que estão batendo na porta."

Sexto mês. "Meu nome é Smith. Maggie Smith. Por hoje é só."

Oitavo mês. "(Risadas.)"

Nono mês. "Smith aqui. Aconteceu o inevitável. Matei o computador. Estávamos com um problema, onde colocar as bisnagas vazias, e ele fez uma sugestão deselegante. Agora está morto. Não tenho remorsos. Ontem recebi a visita de um vendedor de enciclopédias. Não sei como ele conseguiu entrar aqui. Dois mais dois geralmente é nove. Encerro."

Décimo mês. "Meu nome é Brown ou Taylor. Um mais um é umum. Dois mais dois, não. Iniciei um projeto importantíssimo. Com as bisnagas vazias e partes do computador, estou construindo uma mulher."

Um ano. "Redford aqui. Sinto falta de um espelho para poder ver a minha barba, que está bem comprida. A mulher que fiz de bisnagas vazias e partes do falecido computador ficou ótima mas, infelizmente, nossos gênios não combinavam. Ela foi para a casa de seus pais. Dois mais dois..."

Décimo quarto mês. "Minha barba está tentando boicotar a missão! Faz um estranho barulho eletrônico e várias vezes já tentou me estrangular. Deve ser comunista. Começaram a chegar as enciclopédias que comprei. Tenho jogado xadrez comigo mesmo e ganho sempre."

Décimo quinto mês. "Aqui fala Zaratustra. Atenção. Encontrei pegadas humanas dentro da cabine. Estou investigando. Mandarei um relatório depois. Duas vezes três é demais. Encerro."

No dia seguinte. "Grande notícia. Há outro ser humano dentro da cabine! Seu nome é Smith, John Smith, mas como o encontrei numa terça-feira o chamarei de 'Quinta'. Ele não fala, mas joga xadrez como um mestre. (Risadas.) Talvez tenha que matá-lo."

Neste ponto, os cientistas da Nasa acharam melhor abrir a cápsula. Encontraram Smith com as mãos em volta do próprio pescoço gritando: "Trapaceiro! Trapaceiro!"

O QUE CADA UM TEM **POR DENTRO**

Ela tem, delegado, um nariz arrebitado, mas isso não é nada. Nariz arrebitado a gente resiste. Mas a ponta do nariz se mexe quando ela fala.

O QUE CADA UM TEM
POR DENTRO

Isso quem resiste? Eu não. Nunca pude resistir a mulher que quando fala a ponta do nariz sobe e desce. Muita gente nem nota. É preciso prestar atenção, é preciso ser um obsessivo como eu. O nariz mexe milímetros. Para quem não está vidrado, não há movimento algum. Às vezes só se nota de determinada posição, quando a mulher está de perfil. Você vê a pontinha do nariz se mexendo, meu Deus. Subindo e descendo. No caso dela também se via de frente. Uma vez ela reclamou, "Você sempre olha para a minha boca quando eu falo". Não era a boca, era o nariz. Eu ficava vidrado no nariz. Nunca disse pra ela que era o nariz. Delegado, eu sou louco? Ela ia dizer que era mentira, que seu nariz não mexia. Era até capaz de arranjar um jeito de o nariz não mexer mais.

Mas a culpa, delegado, é da inconstância humana. Ninguém é uma coisa só, nós todos somos muitos. E o pior é que de um lado da gente não se deduz o outro, não é mesmo? Você, o senhor, acreditaria que um homem sensível como eu, um homem que chora quando o Brasil ganha bronze, delegado, bronze? Que se emocionava com a penugem nas coxas dela? Que agora mesmo não pode pensar na ponta do nariz dela se mexendo que fica arrepiado? Que eu seria capaz de atirar um dicionário na cabeça dela? E um Aurelião completo, capa dura, não a edição condensada? Mas atirei. Porque ela também se rev[illegible]. Ela era ela e era outras. A multiplicidade humana, é isso. A tragédia é essa. Dois nunca são só dois, são 17 de cada lado. E quando você pensa que conhece todos, aparece o décimo oitavo. Como eu podia adivinhar, vendo a ponta do narizinho dela subindo e descendo, que um dia ela me faria atirar o Aurelião completo na cabeça dela? Capa dura e tudo? Eu, um homem sensível?

Eu deveria ter desconfiado que o nariz arrebitado não era tudo. Que ela tinha me enganado com seu jeitinho de falar, com o apelido que me deu, "Guinguinha", veja o senhor, "Guinguinha", que só depois eu descobri era o nome de um cachorro que ela teve quando era pequena e morreu atropelado. E que ela tinha aquelas outras por dentro. Tudo bem, eu também tenho outros por dentro. Nós já estávamos juntos um tempão quando ela descobriu que eu sabia imitar o Silvio Santos. Sou um bom imitador, o meu Romário também é bom, faço um Lima Duarte passável, mas ninguém sabe, é um lado meu que ninguém conhece. Ela ficou boba, disse "Eu não sabia que você era artista". Também sou um obsessivo. Reconheço. A obsessão foi a causa de nossa briga final. Tenho outros por dentro que nem eu entendo, minha teoria é que a gente nasce com várias possibilidades e, quando uma predomina, as outras ficam lá dentro, como alternativas descartadas, definhando em segredo. E, vez que outra, querendo aparecer. Tudo bem, viver juntos é ir descobrindo o que cada um tem por dentro, os 17 outros de cada um, e aprendendo a viver com eles. A gente se adapta. Um dos meus 17 pode não combinar com um dos 17 dela, então a gente cuida para eles nunca se encontrarem. A felicidade é sempre uma acomodação. Eu estava disposto a conviver com ela e suas 17 outras, a desculpar tudo, delegado, porque a ponta do seu nariz mexe quando ela fala.

Mas aí surgiu a décima oitava ela. Nós estávamos discutindo as minhas obsessões. Ela estava se queixando das minhas obsessões. Não sei como, a discussão derivou para a semântica, eu disse que "obsedante" e "obcecante" eram a mesma coisa, ela disse que não, eu disse que as duas palavras eram quase iguais e ela disse "Rará", depois disse que "obcecante" era com "c" depois do "b", eu disse que não, que também era com "s", fomos consultar o dicionário e ela estava certa, e aí ela deu outra risada ainda mais debochada e eu não me aguentei e o Aurelião voou. Sim, atirei o Aurelião de capa dura na cabeça dela. A gente aguenta tudo, não é, delegado, menos elas quererem saber mais do que a gente. Arrogância intelectual, não.

MICROFONE **ESCONDIDO**

Leonor achou a ideia péssima, mas Ataíde insistiu: botar um microfone escondido no elevador do prédio seria muito divertido.

MICROFONE
ESCONDIDO

Não queria ouvir o que os vizinhos diziam, subindo ou descendo pelo elevador. Os vizinhos não interessavam. Divertido mesmo seria ouvir o que os amigos do casal diziam, chegando ou saindo do apartamento.

— Vai dar galho, Ataíde...

— Vai nada.

E Ataíde instalou um microfone no elevador.

O primeiro teste foi quando convidaram o Julio e a Rosa para jantar.

Ataíde ouviu Julio dizer para Rosa dentro do elevador, na subida:

— Às onze horas a gente dá o fora.

— Acho que às onze ainda não serviram o jantar. Se eu conheço a Leonor.

— Não importa. Às onze nos mandamos. Amanhã eu tenho academia.

E Ataíde ouviu Julio dizer para Rosa dentro do elevador, na descida:

— Saco, Rosa. Uma hora da manhã. Você não viu eu fazer sinais pra gente ir embora?

— Aquilo era um sinal? Pensei que você estivesse limpando o ouvido.

Outro jantar. Aniversário do Ataíde. Os dois últimos casais saem juntos.

Ataíde corre para ouvir o que vão dizer no elevador.

— O Ataíde está meio acabadão, tá não?

— Acho não. Pra idade dele.

— Também, ter que aguentar a Leonor...

No apartamento, Leonor se revolta.

— Quem disse isso? De quem é a voz?

— Parece a da Soninha — diz Ataíde.

— Cachorra!

Outro jantar. Ligam da portaria para anunciar que o sr. Marcos e a dona Lia estão subindo. No elevador, Lia diz:

— Se a Leonor servir salmão outra vez eu me mato.

Depois Lia não entende a frieza da Leonor com ela durante todo o jantar. Não sabe que Leonor teve que suspender o salmão que serviria. Que substituiu o salmão por um resto de pernil que, graças a Deus, ainda tinha na geladeira.

Descendo no elevador, Lia comenta com Marcos:

— A Leonor enlouqueceu. Você viu? Serviu pernil com molho remolado pra peixe.

Leonor anuncia que nunca mais convidará Lia para nada.

Depois de um jantar para os amigos que ainda restavam, os melhores amigos do casal foram os últimos a sair. A Marjori e o Adão. Amigos chegadíssimos.

Amigos de muito tempo. Depois das despedidas, depois de fechada a porta do elevador e do elevador começar a descer com Marjori e Adão, Ataíde hesitou.

Talvez fosse melhor não ouvir o que os amigos iam dizer a respeito deles e do jantar, no elevador.

— Você acha? — perguntou Leonor.

— Melhor não. Você tinha razão. Não foi uma boa ideia botar esse microfone.

— Mas agora está posto. Vamos ouvir.

— Leonor... Nós vamos acabar brigando com todos os nossos amigos.

— Eu quero ouvir, Ataíde. Eu preciso ouvir o que a Marjori e o Adão estão dizendo!

O que ouviram foi o fim de uma frase, dita pelo Adão.

— ... cada vez mais chato.

— Viu só, Ataíde? — disse Leonor. — É sobre você.

— Por que eu? Tinha mais gente no jantar!

— Sei não, sei não.

E nunca saberiam. No dia seguinte Ataíde tirou o microfone escondido do elevador.

O VERDADEIRO GEORGE **CLOONEY**

Longe de mim querer difamar alguém, mas acho que no caso do George Clooney o que está em jogo é a autoestima da nossa espécie,

os homens que não são George Clooney. Todas as nossas qualidades e todos os nossos atributos, físicos e intelectuais, desaparecem na comparação com o George Clooney. As mulheres não escondem sua adoração pelo George Clooney. O próprio George Clooney nada faz para diminuir a idolatria e nos dar uma chance. Fica cada vez mais adorável, cada vez mais George Clooney. E se aproxima da perfeição.

É bonito. É charmoso. É rico. É bom ator. Faz bons filmes. Está envolvido com as melhores causas. E que dentes! Não temos defesa contra esse massacre. Só nos resta a calúnia.

Os dentes são falsos. Ali onde elas veem pomos da face irresistíveis e um queixo decidido, há, obviamente, botox. Ele tem pernas finas e desvio no septo. É solteiro, portanto, claro, gay. Tem casa num dos lagos italianos, o que já é suspeito, e dizem que anda pelos seus chãos de mármore depois do banho de espuma vestindo um longo caftã bordado e sendo borrifado com perfumes florais pelo seu amante filipino Tongo, enquanto seu amante italiano, Rocco, prepara a salada de rúcula completamente nu. George Clooney bate na mãe todas as quintas-feiras. É extremamente burro. Só leu um livro até hoje e não lembra se foi *O Pequeno Príncipe* ou *O Grande Gatsby*. Nos filmes em que faz personagens mais reflexivos, contratam um dublê para as cenas dele pensando. Foi ele que propôs a demolição da Torre Eiffel porque já era mais que evidente que não encontrariam petróleo no local. E sua sovinice é lendária. Levou nadadeiras quando visitou Veneza, para não gastar com táxi.

É notório, em Hollywood, o mau hálito do George Clooney. Quando ele fala em algum evento público, as primeiras três fileiras do auditório sempre ficam vazias. Atrizes obrigadas a trabalhar com ele têm direito a um adicional por insalubridade, em dobro se houver cenas de beijo. Outra coisa: a asa. Não adiantam as imersões em espuma na sua banheira em forma de cisne, nem os perfumes florais borrifados, o cheiro persiste. Sabem que George Clooney e suas axilas se aproximam a metros de distância, e muita gente aproveita o aviso para fugir.

Além de tudo, tem seborreia e é Republicano.

Passe adiante.

SUFLÊ DE **QUEIJO**

Ele a recebeu na porta do apartamento. Ela tirou o casaco. Ele ficou segurando o casaco dela, esperando. Ela disse:

SUFLÊ DE
QUEIJO

— Não vou tirar mais nada.

Mas acrescentou:

— Por enquanto...

Os dois sorriram. Perfeito, pensou ele. Se alguém tivesse escrito aquele começo, não poderia ser melhor. Restava saber como seria o resto do script.

ELE — Vá entrando, vá entrando.

ELA — Que apartamento lindo!

ELE — Modestamente...

ELA — Você mesmo decorou?

ELE — Foi.

ELA — Lindo.

ELE — Agora ficou.

ELA — Como assim?

ELE — Eu sabia que estava faltando alguma coisa na decoração. Era você.

Ela não sorriu. Meu Deus, pensou ele: ela não entendeu. Tentou de novo.

— Estava faltando a sua beleza para completar a decoração.

— Ah. Isso quer dizer que você quer que eu fique para sempre?

— Para sempre... e mais um pouco.

Boa, boa, pensou ele. Ela está sorrindo. Ela está gostando. Ela está no papo.

* * *

— Quer dizer que eu vou conhecer o seu famoso suflê de queijo?

— Espero que ele não decepcione. Sabe como é suflê.

— Me disseram que o seu nunca falha.

— Bom, até hoje ninguém se queixou...

Duplo sentido, mas com classe. O script continuava funcionando.

— Posso lhe oferecer uma panhe de chamtaça? Quer dizer, uma taça de champanhe?

Calma, pensou ele. Não vá estragar tudo com seu nervosismo. Sofisticação. Homem do mundo. Cuidado ao abrir o champanhe. Uma rolha ricocheteando pela sala pode pôr tudo a...

— Esses canapés, foi você quem fez?

— Foi.

— Mmmmm.

— Obrigado.

* * *

Ele se desculpou para ir até a cozinha ver qual era a situação do suflê. Ela perguntou se podia ir junto. No caminho, ele mostrou onde era seu quarto. Mostrou sua cama, de casal (ELA: "Que prático."). Na cozinha, falando no ouvido dele, ela sugeriu que pulassem o suflê. Ele riu, tentado, mas não concordou. Tinha orgulho do seu suflê. Queria saber a opinião dela do seu suflê infalível. E a vaidade culinária falou, desgraçadamente, mais alto. Foi esse o momento em que — pensando no acontecido, mais tarde e mais calmo — ele lamentou a falta de um bom roteirista. O suflê ficou pronto, levaram o suflê para a mesa, ela deu a primeira garfada — e queimou a língua. Chegou a dar um salto para trás, fazendo "Uol!" e quase caindo da cadeira.

Bebeu um longo sorvo de champanhe. Abanou a boca com as mãos. E gritou para ele:

— Você não me avisou que estava quente!

— Desculpe, eu...

— Seu cretino!

Epa, pensou ele. Cretino não.

— Quem é que não sabe que suflê é quente? Você não viu ele sair fumegante do forno?

— Você podia ter me avisado!

O jantar terminou ali. Ela levantou-se da mesa, vestiu seu casaco e saiu do apartamento batendo a porta. Ele ficou pensando que ela poderia ter sido mais compreensiva, mas que era melhor assim. Com a língua queimada ela não iria apreciar seu suflê, mesmo.

* * *

Roteirista, pensou ele. Decididamente, faltou roteirista.

AS INFLÁVEIS

Como se compra uma mulher inflável? Foi a pergunta que me fiz um dia, e não soube me responder. Você entrava num "sex shop"

AS INFLÁVEIS

e pedia para ver o que eles tinham?

(Você: "Mulher inflável?" Balconista: "No fundo, entre os arreios e as bolinhas japonesas.")

Não, pensei. Sex shops não deviam vender mulheres infláveis, a não ser os mais bem estocados. Talvez se comprasse pelo correio. Pela internet, isso.

Procurei mulher inflável no Google. E encontrei! Mulheres feitas de vinil, da cor que se quisesse, em tamanho natural, com algo chamado de Cyber Skin nos orifícios. Vinham numa caixa.

* * *

Como seria a caixa? Parecida com uma embalagem de pizza, com a mulher dobrada dentro? Viria uma bomba de ar junto ou você mesmo teria que assoprar para enchê-la, no primeiro ato de intimidade entre os dois? Você lhe dando vida com seu sopro, como o Deus da criação. Depois passando a mão pela sua pele de vinil, testando o Cyber Skin com o dedo, tomando posse. Elas já viriam da fábrica com nome — Suzy, Carol, Natasha — ou caberia a você também batizar a recém-nascida, ou recém-inflada? Cloé, pensei. A minha se chamaria Cloé. Ou talvez Pleshette.

* * *

Decidi que, antes de seguir adiante, deveria consultar alguém que tivesse experiência com mulher inflável. Me indicaram o Fred (o nome dele, claro, não é este), que já teve várias.

— A vantagem da mulher inflável, Aloísio (meu nome, claro, não é este) — disse ele —, é justamente a variedade. Quando você se cansa de uma, joga fora e compra outra. Ou vende a velha e compra uma nova.

— Vende a velha?

— Há um grande mercado para mulher inflável de segunda mão, ou recauchutada.

Eu estava entrando num mundo paralelo de cuja existência nem desconfiava. O próprio Fred me contou que havia uma comunidade de homens com mulheres infláveis que se reuniam frequentemente, inclusive para troca de casais. Só não faziam muito sexo grupal porque, com o calor da ação, havia o risco de algumas mulheres esvaziarem e murcharem, o que estragava o clima.

* * *

Nem todos compravam mulheres infláveis com a mesma intenção, ainda segundo o Fred. O Tuta, por exemplo (o nome dele, claro, não é este), especificara que queria uma inflável com a cara da sua ex-mulher e com apenas um orifício: a boca.

— Para o sexo oral, que a mulher dele se negava a fazer?

— Não, para tapar com uma rolha. Ele não toca na sua mulher inflável. Bota ela sentada ao seu lado durante as refeições, no sofá quando vê televisão, na cama... De vez em quando pergunta "Você disse alguma coisa, querida?" e depois dá uma gargalhada.

* * *

Comprei uma mulher inflável. Confesso. Pedi uma morena com a cara aproximada da Catherine Zeta-Jones, se tivessem, e não pretendo compartilhá-la com ninguém. Tenho a levado a motéis, onde o pessoal se surpreende ao me ver chegar sozinho, com um caixa de pizza embaixo de um braço e uma bomba de encher pneu de bicicleta do outro. Mas, é claro, não sou eu que estou escrevendo isto.

EM CAFARNAUM

E aconteceu que chegou a Cafarnaum a notícia de um homem que transformava água em vinho. O estranho homem estivera numa festa

EM CAFARNAUM

de casamento em Canaã, na província da Galileia, e ao ser informado de que acabara o vinho, mandara encher seis talhas de pedra com água, e transformara a água em vinho. E a notícia se espalhara por toda a região, e chegara a Cafarnaum.

E aconteceu que um homem entrou na venda de Guizael, em Cafarnaum, e Guizael achou o homem estranho, e deduziu que aquele era o homem que transformara água em vinho, em Canaã. E Guizael agradeceu a Deus por ter levado o homem a Cafarnaum, e ofereceu comida ao homem estranho: pão, peixe, coalhada e um copo de água. E Guizael piscou um olho para o homem estranho, e disse: podes transformar esta água no que quiseres, para acompanhar o jantar.

E o homem sorriu, e tocou a borda do copo com um dedo, e a água se transformou em vinho. E Guizael foi tomado de grande alegria, e disse: tens um grande poder. E o homem disse: ainda não viste nada. E tocou o pão com um dedo, e o pão se multiplicou, e o balcão da venda de Guizael se cobriu de pães. E o homem tocou o peixe, e os peixes também se multiplicaram. E assim aconteceu com os potes de coalhada. E Guizael exultou.

E Guizael propôs um negócio ao homem estranho. Uma parceria na venda. Ele multiplicaria os potes de coalhada, e os pães, e os peixes, e transformaria a água em vinho, e Guizael economizaria na farinha dos pães e no leite da coalhada, e não dependeria mais dos seus fornecedores de peixes e de vinho. O homem só entraria com o seu dedo milagroso, e em troca teria direito a vinte por cento do faturamento da venda.

O homem sorriu e disse que sua missão era outra. Que estava no mundo para multiplicar o número de crentes em Deus, e para transformar não água em vinho mas o coração e a mente das pessoas, e que o único lucro que buscava era a salvação da humanidade. Trinta por cento, disse Guizael. O homem sacudiu a cabeça. Não se interessava pela riqueza, sua glória não seria deste mundo.

Fifty-fifty, disse Guizael, ou o equivalente em aramaico. E vendo que o homem hesitava, prosseguiu: aquela sua missão não acabaria bem. Mudar o coração e a mente das pessoas, o que era aquilo? Ele acabaria preso como agitador, talvez até executado. E sua pregação seria em vão. Seu sacrifício não mudaria nada. Mas se ficasse em Cafarnaum e aceitasse a proposta de Guizael, o homem teria uma vida longa e feliz. Cafarnaum não era o mundo, mas era um lugarzinho simpático, ótimo para se criar os filhos.

E o homem aceitou a proposta de Guizael para ficar em Cafarnaum. E disse: sabes, claro, que isto vai mudar a história da humanidade. E disse Guizael: a humanidade não merece mesmo. E o homem sorriu, e tocou o copo com seu dedo outra vez, e trocou o vinho tinto em vinho branco, para acompanhar o peixe.

O FILÓSOFO E SEU **CACHORRO**

O filósofo costumava falar com seu cachorro. Os dois estavam chegando ao fim da vida ao mesmo tempo e a idade os aproximara

ainda mais. O filósofo não podia mais ler ou escrever, e falar com o cachorro era a única maneira de desfiar seus pensamentos, pois sua mente continuava ativa. A família do filósofo não tinha muita paciência para ouvir suas divagações, enquanto o velho cachorro não tinha mais nada a fazer senão ficar deitado aos pés do seu dono enquanto ele falava, falava, falava. O filósofo sabia que o cachorro provavelmente dormia ao som da sua voz, mas não se importava. Pelo menos sua voz tinha um destino, dois ouvidos leais, em vez de se perder no espaço vazio da biblioteca.

Mas um dia aconteceu o seguinte: o cachorro respondeu.

O filósofo tinha dito:

— Pensando bem, a morte é uma dádiva.

E o cachorro:

— Desenvolve.

O filósofo olhou em volta. Quem dissera aquilo? Perguntou para o espaço vazio:

— O quê?

— "A morte é uma dádiva." Desenvolve a tese.

Não havia dúvida, quem estava falando era o cachorro. O filósofo hesitou, limpou a garganta, depois disse:

— Bem, não é exatamente uma tese. É mais um consolo.

— Como assim?

O cachorro falava sem abrir os olhos.

— Você já pensou — disse o filósofo — se nós vivêssemos para sempre? Estaríamos obrigados a entender o Universo. As razões da existência, o sentido da vida, essas coisas. Como são coisas incompreensíveis, viveríamos com a permanente consciência da nossa incapacidade, da nossa insuficiência mental. Do nosso fracasso. Seria uma angústia eterna.

— E a morte é melhor do que isso?

— A morte nos exime. Somos visitantes no Universo. Suas grandes questões não nos dizem respeito, pois estamos aqui só de passagem. A finitude é a nossa desculpa para não entender, para não precisar entender. A dádiva da morte é nos tornar iguais a vocês.

— Nós quem?

— Os bichos. Vocês têm cosmogonias? Especulações metafísicas? Algum tipo de inquietação existencial?

— Eu, não. Não posso falar pelos outros. Mas vem cá...

— O quê?

— Não é justamente o fato de vocês serem mortais, finitos e passageiros que dá origem a todas as cosmogonias, a toda metafísica? A morte não é a mãe da filosofia?

— A recusa da morte é a mãe da filosofia. A ideia de deixar de existir é profundamente repugnante para o nosso amor-próprio. Aceitando a morte como um consolo, como um álibi, eu também estou me livrando desta absurda pretensão do meu ego, que é a de que eu não posso simplesmente acabar. Logo eu, de quem eu gosto tanto. Por isso se inventam religiões, e mil e uma maneiras da vida continuar, nem que se volte como um cachorro.

— Epa.

— Foi só um exemplo. Mas eu renuncio à filosofia, renuncio a toda especulação sobre o mistério de ser, e aceito o meu fim. Estou pronto a pensar no Universo e na morte como um bicho.

— Mas eu nunca penso no Universo ou na morte.

— Exatamente. Porque você não sabe que vai morrer.

— Fiquei sabendo agora. Obrigado, viu?

— É isso que eu quero. Essa sábia ignorância, essa burrice caridosa... Podemos até trocar de lugar, se você concordar. Lhe dou todas as minhas especulações, minhas teses, meu ego e minha angústia, em troca da sua paz.

— Acho que sua família não aprovaria. E não sei se eu ficaria bem de cardigã. Nisso a neta do filósofo entrou na biblioteca e tentou acordá-lo, sacudindo-o e dizendo "Vô, vô, o lanche", mas não conseguiu, e foi correndo chamar a mãe.

O cachorro também continuou com os olhos fechados.

ESTRANHANDO **O ANDRÉ**

Leila aceitou a carona do André. Estava com sono, queria ir para casa e, quando o André disse que a festa estava boa mas

ESTRANHANDO
O ANDRÉ

precisava ir embora e perguntou se alguém aceitava uma carona, hesitou só por dois segundos.

Sabia, por experiência própria, o que significaria ficar sozinha com o André. Uma vez tivera que recorrer à força física para contê-lo, e mesmo com o nariz sangrando o André insistira. "Pô, Leilinha, só um beijinho." Outra vez ela até ameaçara pular do carro em movimento se ele não parasse com aquela mão. Mas Leila aceitou a carona. Afinal, sabia se defender. Se aprendera alguma coisa nos anos de convivência com o inconsequente André, era resistir aos seus avanços. Resistira ao André lamuriento. Resistira ao André infantil, pedindo como uma criança. Resistira ao André cantando boleros no seu ouvido. Resistira ao André se fazendo de louco apaixonado.

Dez anos de avanços repelidos. Tinha prática.

* * *

Já estavam rodando uns 15 minutos em silêncio quando a Leila falou.

— Tou te estranhando, André.

— Por quê?

— Estamos neste carro há meia hora e você ainda não me deu uma cantada.

— Pois é.

"Pois é"?! O que queria dizer "Pois é"? E aquele tom sombrio?

— Sou eu, é? Eu não sou mais cantável?

— Não. Quié isso. Você continua linda. É que, sei lá. Desisti.

— Ainda bem. Porque você sabe que era um chato, não sabe?

— Sei, sei.

Ela examinou seu rosto. Perguntou:

— Você está com algum problema de saúde?

— Não, não.

— O que é então?

— É tudo, entende? Tudo. Desisti de tudo.

* * *

Não dava para acreditar. O André deprimido. Ela bem que notara que ele não parecia o mesmo, na festa. Não repetira as brincadeiras sem graça de sempre.

"Atenção pessoal: concurso de peitos — mas só dos homens!" Não provocara os protestos de sempre agarrando a bunda das mulheres com quem dançava e explicando que ainda era do tempo do "cheek-to-cheek". E agora ali, sério daquele jeito. Grave. Não dava para acreditar, o André grave.

— O que foi? Uma desilusão amorosa?

— Não.

— Eu nunca topei as suas cantadas porque sabia que não era coisa séria. Foi para proteger a nossa amizade.

— Eu sei. A culpa não é sua.

— O que é, então?

— Desencanto. Sabe como é? Comigo mesmo. Com a humanidade em geral. Com tudo.

* * *

Tinham chegado no edifício em que morava a Leila.

— Você quer subir pra conversar?

— Não. Obrigado, Leila. Não estou a fim.

— Só pra tomar alguma coisa. Desabafar.

— Não, não. Obrigado. Vou pra casa dormir.

Era como se ela estivesse falando com outro homem. O André em crise existencial ficara o quê? Mais denso. Mais interessante. Leila perguntou:

— E se a gente fosse para um motel?

Ele sorriu tristemente.

— Não, Leila. Não precisa.

— Como, "Não precisa"? Eu não estou sendo caridosa. Eu quero dormir com você.

— No estado em que eu ando, seria um fracasso. Para mim não seria uma transa, seria uma forma de psicoterapia heteroempática. Você não merece isso, Leilinha.

Não dava para acreditar, o André dizendo "psicoterapia heteroempática". Leila ficou ainda mais excitada. Ordenou:

— Vamos para um motel!

* * *

No motel, ela tomou a iniciativa. Aquela não seria uma relação inconsequente. Seria uma relação complicada. Seria uma relação muito, muito complicada. Pensou Leila, arrancando as calças do André.

TUBARÃO
MECÂNICO

Eram três casais de amigos, todos no lado, digamos, menos ensolarado dos 50 anos. Já tinham jantado, já tinham esgotado todos os

TUBARÃO

MECÂNICO

assuntos do momento, e estavam entrando nas reminiscências, na fase do lembra quando? E a Rosane inventou de perguntar se todos se lembravam de como tinha iniciado o namoro que resultara no casamento de cada par. Da gênese, da origem, do foi assim que tudo começou. A primeira voluntária foi a Dolores.

— Devemos nosso casamento a um tubarão.

* * *

— A um tubarão?!

— Não um tubarão de verdade. Um tubarão de cinema.

E Dolores contou que estava num cinema vendo aquele filme de tubarão do Spielberg com um grupo, sentada entre um primo e a única pessoa que não conhecia no grupo.

— Que vinha a ser adivinhem quem?

Viriato, o marido da Dolores, levantou o dedo e disse "Eu". Foi aplaudido por toda a mesa.

— Aí Vivi!

Dolores continuou:

— Naquela hora em que o tubarão aparece de repente e quase pega o cara, eu levei um susto e me atirei em cima do Vivi. Escondi a cara no peito do Vivi.

— Espera aí — interrompeu o Bruno, marido da Rosane. — Por que você se atirou em cima de um desconhecido e não em cima do primo?

— Na hora, com o susto, não escolhi o lado. Foi uma coisa instintiva, não pensada.

A mesa se dividiu, metade achando que não tinha sido tão instintivo assim, que a Dolores tinha premeditado o bote no Vivi e a história estava mal contada, e metade achando que tudo fora mesmo um acaso.

— E aí o Vivi aproveitou e meteu a mão?

— Não. Eu pedi desculpas, nós rimos muito, na saída do cinema ficamos conversando e o resultado, trinta anos, três filhos e dois netos depois, está aqui.

Engraçado, né? Devemos nossa vida a um tubarão mecânico.

* * *

— Pois nós — disse a Sibelis — devemos nossa vida a um engano.

Quem mais se surpreendeu com a frase da Sibelis foi o marido dela, o Rubem. Que não disse nada. Sorriu como se também estivesse se lembrando do engano. Mas não sabia do que a mulher estava falando.

— Foi num bar. Eu estava sozinha e uma amiga minha veio perguntar se eu topava sair com um cara, para acompanhar ela e o namorado dela, e me apontou o cara no outro lado do bar. Gostei do jeito dele e topei.

— E o cara era o Rubem.

— Não. Era um que estava ao lado do Rubem. Eu tinha gostado do jeito do cara errado. Só descobri quando a amiga nos apresentou. O que tinha me agradado era o namorado dela. Mas eu não podia voltar atrás e saí com o Rubem para não ser chata.

— E deu tudo certo.

— Deve ter dado. Casamos e estamos casados até hoje. Trinta anos.

— Viu só? É outro caso de acaso. Outro tubarão mecânico.

— Mas — continuou a Sibelis — eu às vezes penso no que teria sido minha vida se eu não tivesse me enganado. Se o namorado da amiga fosse o Rubem e o outro, o que eu gostei, fosse o meu par naquela noite.

E a Sibelis virou-se para o Bruno e perguntou:

— Você também não pensa nisso, Bruno?

— Eu?!

— Você não lembra? O outro cara era você.

Durante longos segundos ninguém falou nada na mesa, até o Viriato, só para não deixar o silêncio inflar daquele jeito, dizer a única palavra apropriada para a situação:

— Epa.

* * *

O Rubem continuava sorrindo. Disse:

— Eu e a Sibelis comentamos isso seguidamente. Como às vezes um detalhe, um engano, um acaso, pode mudar o destino de...

A Sibelis o interrompeu:

— Você nunca soube do engano, Rubem. Eu nunca contei. Em trinta anos, eu nunca contei. E você nem se lembrava que era o Bruno que estava com você no dia em que nos conhecemos. Não seja fingido, Rubem.

— Olha — disse o Viriato, levantando-se. — Vocês eu não sei, mas está na minha hora de dormir. Vamos pra casa, Dol.

— Senta aí, Vivi — disse a Dolores. — Nós estamos na nossa casa. Os outros é que têm de ir embora.

Viriato sentou-se. A Rosane estava irritada.

— É isso que dá, começar a mexer no passado. De quem foi esta ideia, afinal?

O Bruno começou a dizer alguma coisa, mas a Rosane não deixou:

— Com você eu me acerto em casa!

E a Dolores, tentando salvar o que ainda havia para ser salvo:

— Outro cafezinho, gente?

TÁ

— Você quer?
— Se você quiser...
— Como, se eu quiser? Você quer ou não quer?
— Se você quiser eu quero.

TÁ

— Se eu não quisesse não teria perguntado.

— Então você quer?

— Quero.

— Então tá.

— Como, "tá"?

— Tá. Está bem. Sim. Vamos.

— "Tá"... Que coisa triste. A que ponto chegamos. Francamente: "tá"?

— Pedro Henrique, você não vai fazer um drama só porque...

— Não, não. Tudo bem. Eu acho perfeito. Assim termina um grande amor. Não com uma explosão, não com um suspiro. Com um "tá".

— Pedro Henrique...

— É perfeito. Curto, preciso e definitivo. "Tá." Como um ponto final. "Tá", ponto. Que vida conjugal pode existir depois de um "tá"? Nenhuma. Boa noite.

— Sabe o que que eu acho, Pedro Henrique? Acho que você também não estava a fim e está usando um pretexto para...

— Ah, então você não estava a fim? O "tá", além de tudo, era mentiroso?

— Não desconversa, Pedro Henrique. Você é que estava louco para ir dormir mas decidiu que, já que fazia tanto tempo, tinha a obrigação de perguntar se eu queria. Não era vontade, era desencargo de consciência.

— E já me arrependi. Se era para ouvir um "tá", melhor não ter perguntado.

— Confesse. Você não sente mais nada por mim.

— Não é verdade.

— Não faz tanto tempo assim, você nem teria perguntado.

— Ah, desculpe a boa educação. Você preferia que eu atacasse você sem avisar? Pimba, sem dizer nada?

— Sem dizer nada, não, Pedro Henrique. Dizendo tudo o que você costumava dizer no meu ouvido, antes do pimba, lembra? Você nem se lembra.

— Lembro. E lembro de muito mais. Lembro de quando você é que tomava a iniciativa. Coisa que não acontece desde, sei lá. Desde o governo Sarney.

— O Sarney não.

— O Collor então.

— Não tomava a iniciativa para não ser repelida, porque sabia que você não me amava mais.

— Que injustiça. Que injustiça! Eu nunca deixei de amar você. Não sou mais o mesmo, reconheço. Não digo mais coisas no seu ouvido. O tempo passa, que diabo. Ninguém é mais o mesmo. Nem o Agnaldo Rayol, que não envelhece, mas aposto que não diz mais o que dizia. Nós todos mudamos com o tempo. Mas isso não quer dizer que eu ame você menos.

— Tá certo...

— Jurema, você, pra mim, é uma semideusa!

— "Semi", Pedro Henrique?!

— Hein?

— Você disse "semideusa".

— Bom...

— Antigamente era uma deusa.

— É o tempo, Jurema. Nós todos nos desgastamos um pouco.

— Quer saber de uma coisa, Pedro Henrique? Boa noite.

— Tá.

A PAIXÃO DE
JORGE

Não é incomum, apaixonar-
-se pela mulher de um amigo. Acontece de várias
maneiras. O longo convívio
com o amigo e a mulher

A PAIXÃO DE
JORGE

pode ser tão íntimo e agradável que só muito tarde você se dá conta de que o que estava havendo entre você e a mulher do amigo, o tempo todo, era um namoro, que evoluiu para o amor. Ou você pode simplesmente acordar no meio da noite, depois de um sonho revelador, e dizer com espanto: "Eu amo a mulher do Nogueira!" Pode acontecer num acidente, num detalhe do cotidiano, um roçar de dedos ou um cruzar de olhares que detona a paixão incontrolável. Mas o nosso Jorge encontrou um jeito original, decididamente incomum, de se apaixonar pela mulher de um amigo. Apaixonou-se pela mulher do Nogueira (digamos que seu nome seja Nogueira) quando foi visitá-la na maternidade, depois que ela teve o primeiro filho com o Nogueira. A mulher do Nogueira estava amamentando a criança quando o Jorge entrou no quarto. O Jorge apaixonou-se pelo conjunto. Perdidamente. Até hoje, ele não pode contar sem se emocionar.

* * *

O Jorge não sabe explicar o que houve. Antes, mal prestara atenção na mulher do Nogueira. Ela era bonita mas de um jeito artificial, um jeito de boneca. Sempre bem-penteada e bem-maquiada, costumava sentar na ponta das cadeiras com as pernas coladas e um pé ligeiramente perpendicular ao outro, como se fosse uma característica superior da sua tribo. O Jorge só descobrira que ela estava no último estágio da gravidez quando notou um dia, por acaso, que a barriga avantajada a obrigava a sentar-se com as pernas um pouco abertas, mas sem perder a linha. Ela falava pouco e certa vez, quando a discussão no grupo era sobre política internacional, divertira a todos dizendo que não tinha nada contra o Bush, "mas ele lá e eu aqui". O Jorge conhecia o Nogueira desde a adolescência e não entendia o que o amigo tinha visto naquela boneca decorativa e fútil. Mas, enfim, não era problema dele. E então entrara no quarto da maternidade e vira a Juliana (digamos que seu nome seja Juliana) amamentando seu recém-nascido.

* * *

A Juliana sem maquiagem, com o cabelo em desalinho, com aquela calidez meio úmida e resplandecente que, segundo o Jorge, as mulheres adquirem depois do parto, sorrindo para o bebê que sugava o seu peito com uma calma e uma sabedoria tão antigas que o Jorge quase deixou cair as flores e levou as mãos ao coração, como no cinema mudo. "Sardas!", nos disse o Jorge, extasiado. "Ela tem sardas!" As sardas no rosto limpo da Juliana tinham completado o sortilégio da cena, para o Jorge. Nos três dias que Juliana ficou no hospital, Jorge foi visitá-la todas as tardes, e ficava até ser expulso pelas enfermeiras. Para surpresa da Juliana, que também nunca prestara muita atenção naquele amigo meio esquisito do Nogueira e não entendia aquela súbita devoção.

* * *

O problema, para o Jorge, passou a ser o que fazer com sua paixão. Não podia declará-la a Juliana. Muito menos confessá-la ao Nogueira. E, mesmo, poucas semanas depois do parto Juliana voltara a ser o que era, com as sardas escondidas por camadas de maquiagem e um pé ligeiramente perpendicular ao outro. A mesma boneca, só com seios maiores. Jorge perguntava muito pelo bebê mas, fora isso, não tinha muito assunto com a mulher decorativa e fútil do Nogueira. Ao contrário das tardes no hospital, quando lhe contara a sua vida, quando assunto era o que não faltava. Aos poucos, a paixão do Jorge amainara. Até que um dia...

* * *

Um dia, num dos almoços da turma, ouviu o Nogueira anunciar:

— A Juliana está grávida de novo.

O coração do nosso Jorge deu um pulo, depois só ficou ronronando de prazer dentro do seu peito como um gato contente. A Juliana teria outro bebê. A sua amada estaria de volta!

* * *

O Nogueira e a Juliana já estão com quatro filhos (o terceiro é até afilhado do Jorge). A cada novo parto o amor de Jorge por Juliana aumentou. E ninguém entendeu — só nós, que sabíamos da sua insólita paixão — o "Não!" que Jorge deixou escapar, quando, no outro dia, Juliana disse que chegava, que não pretendia ter mais filhos. E por que Jorge em seguida passou a pontificar, indignado, sobre o absurdo preconceito dos casais modernos contra famílias grandes como as de antigamente. Oito, doze, dezessete filhos, por que não? Ele era contra o controle de natalidade por meios artificiais. Neste ponto, estava com o papa.

PLESHETTE

Alô. Entre. Tome este martíni seco. Sou famoso pelos meus martínis secos. Um bom martíni seco depende da correta mistura do gim

PLESHETTE

com o vermute. O meu é sequíssimo. Meu segredo é tomar o gim puro só pensando no vermute. Uso sempre um "twist" de limão siciliano na taça. Existem várias escolas. Alguns preferem uma azeitona, outros uma cebolinha, e alguns degenerados — americanos, claro — uma cereja. Eu uso o limão clássico. Sempre digo que não existe nada para começar uma noite, uma conversa, uma amizade como um martíni seco. A partir de um martíni seco, quem sabe o que pode acontecer?

Veja o nosso caso. Não nos conhecemos, mas já estamos nos brindando com um sequíssimo e civilizadíssimo martíni. Lançamos a noite como um transatlântico, não com uma garrafa de champanhe quebrando no casco, mas com o tilintar de dois copos de...

Não. Melhor deixar o papo do martíni para depois.

Abro a porta e digo:

— Alô. Entre. Pleshette, não é? Fiquei intrigado com seu nome. É o nome de uma atriz muito bonita, mas você certamente não a conheceu. Não tem idade para isso. O que a fez escolher esse nome? Ou é seu nome de verdade? Não se preocupe, não vou pedir sua biografia. Sei que vocês, você, não gostaria disso. Mas achei que seria uma maneira de nos conhecermos, de começarmos a conversa. Por que Pleshette? Foi o que me atraiu no seu anúncio. E também o "gostos sofisticados". Esses anúncios às vezes são muito engraçados. Lembro de um que dizia "amor sem demagogia". Não imagino o que seria o tal "amor sem demagogia". Mas seu anúncio me intrigou. Uma Pleshette, com gostos sofisticados. Sei que vamos nos dar muito bem. Mas sente-se, por favor. Aceita um martíni seco?

Não.

Abro a porta sem dizer nada. Com um sorriso triste, é isto. Sou um homem amargurado, descrente de tudo. Ou de quase tudo. Ainda busco um relacionamento significativo que pode começar — por que não? — num encontro como aquele. Ela precisa saber, só pela minha cara, que aquele não será um programa comum. Que eu não sou apenas um cliente a mais. Que podemos terminar a noite abraçados, despejando nossos corações no meu lençol, depois — ou mesmo em vez — do sexo.

— Pleshette, isto nunca me aconteceu antes.

— O que, estar com uma mulher?

— Não. Abrir meu coração deste jeito.

— Eu também. Nunca.

— Será que isto vai virar outra coisa?

— Sim, sim. Será uma loucura, mas sim!

E brindaremos nosso novo amor com martínis secos.

Não.

Abro a porta e digo "Pleshette, não é? Olha, esta é a martíni vez que faço isto, não sei bem como..." Epa. A campainha da porta. É ela.

— Alô. Entre. Aceita um martíni seco? Sou famoso pelos meus...

— Não, cara. Vamos logo pro quarto que eu não tenho muito tempo. É por aqui?

O TESTE

Ele e ela atirados no sofá, cada um para um lado. Ela lendo uma revista, ele lendo um jornal. Ela se debruça por cima dele, procurando

O TESTE

alguma coisa na mesinha ao lado do sofá, depois enfiando a mão entre as pernas dele e o estofamento. Ele pensa que a intenção dela é outra e se entusiasma.

— Epa. Opa. É por isso que eu gosto dessas revistas femininas. São puro sexo... Cento e dezessete maneiras de atingir o orgasmo usando utensílios domésticos, inclusive o seu marido. Chuchu, esse afrodisíaco desconhecido. Você também pode ter os seios novos da Xuxa, quando ela não estiver usando... Vocês começam a ler essas revistas, se excitam e...

— Encontrei.

— Claro que encontrou. Você pensou que ele tivesse se mudado? Continua no...

— O lápis. Eu sabia que ele estava dentro do sofá.

— Lápis?

— Pra fazer este teste da revista. Vamos lá. "Você chega em casa e diz que precisa fazer uma reavaliação das suas prioridades, recuperar o seu espaço pessoal e dar um tempo para o casamento, e declara que vai viajar sozinha. Ele a) dirá que tudo bem, desde que você faça um rancho no supermercado antes de ir, b) acusará você de ter um amante e exigirá saber quem é, c) dará uma risada e dirá "boa, boa, conta outra" ou d) dirá que entende você e apoia sua decisão." "Você", no caso, sou eu.

— E "ele" sou eu?

— "Ele" é você.

— D.

— O quê?

— D. A resposta dele, que sou eu, é D.

— Você me entenderia e me apoiaria?

— Sem a menor dúvida.

Ela anota com o lápis, não muito convencida, e continua.

— "Ele tem um hábito que você não suporta, mas nunca mencionou. Um dia, você resolve falar e pede que ele pare, senão você enlouquece. Ele a) dirá que você tem vários hábitos que também o deixam maluco e só para se você parar, b) dirá que devemos aceitar as pessoas como elas são, com todas as suas imperfeições, e que você está sendo insensível e intolerante, c) dirá que fará o possível para parar, pois a sua aprovação é a coisa que ele mais preza, ou d) negará que tenha o hábito e dirá que você só está atrás de um motivo para criticá-lo."

— C.

— C?

— Ele disse C.

— Se eu pedisse para você abandonar um hábito que me incomodasse...

— Eu pararia na hora.

— Mesmo?

— Mesmo.

Ela anota e recomeça a leitura.

— "Você..."

— Espera um pouquinho. Esse teste não é pra mim. É pra você. É para a mulher responder o que espera do marido. Que tipo de homem ela pensa que ele é. No final, dependendo das respostas, a revista diz "Separe-se desse monstro imediatamente!" Ninguém quer saber as nossas respostas. Desprezam a nossa autoavaliação.

— Não é bem assim...

— É, sim. É por isso que eu não gosto de revistas femininas. Não têm o menor interesse em homem, a não ser como objeto sexual. São feitas por mulheres para mulheres. E o que é que mulher mais gosta de ler, ouvir e ver? Outras mulheres. Alguém já viu um homem na capa de uma revista feminina? Nunca. É tudo narcisismo. Delas para elas. Até os testes.

Ela atira a revista e o lápis longe.

— Pronto. Acabou o teste.

Ela o abraça.

— Ficou, bravinho, ficou?

— Sentido.

Ela o beija. Ele se deixa beijar. Ela o beija com mais ardor. Ele enfia a mão entre as pernas dela. Ela faz "Mmmmm. É assim que eu gosto". Ele diz:

— Encontrei.

— O quê?

— O controle remoto.

E liga a televisão.

A PREGUIÇA

Tenho uma simpatia visceral pela preguiça. Aquele bicho que passa a vida pendurado pelo rabo, de cabeça para baixo, e se dedica

A PREGUIÇA

à contemplação das coisas pelo inverso. Há outros animais contemplativos na natureza, mas nenhum com tanta convicção da própria inutilidade. O boi, por exemplo, é lento e filosófico, mas há uma certa empáfia na sua ponderação. O boi tem o ar de quem está só esperando que lhe peçam uma opinião. O boi tem teses sobre a vida, é que até hoje ninguém se interessou em saber. O hipopótamo é outro falso acomodado. Só o fato de ser anfíbio denuncia uma inquietação secreta. O hipopótamo tinha outros planos. O elefante? Um megalomaníaco. Depressivo. Não passou da fase anal retentiva, o que se manifesta em excessivos cuidados com a higiene e em certos pudores irracionais. Um elefante nunca morre na frente dos outros, e o que é mais íntimo do que a morte? A vida é uma provação para o elefante.

A preguiça não quer nem saber. A preguiça é um macaco que deu errado, um equívoco da evolução, e ela se esforça para não chamar a atenção para o erro. Se me descobrirem, me extinguem. Uma vez perguntaram a Darwin sobre a preguiça e ele fingiu que procurava um lápis embaixo da mesa. Todo animal tem uma função no universo. Pode ser a mais prosaica, como comer formiga, mas tem. Menos a preguiça. A preguiça não serve para nada. É uma espectadora do drama da criação. E mesmo como espectadora é incompetente, pois vê tudo de cabeça para baixo. Ao contrário. O sol não se levanta para a preguiça, ele cai do horizonte como um ovo da galinha. O céu é o chão e o chão é o céu da preguiça. O espantoso é que com tanto sangue lhe subindo à cabeça a preguiça não tivesse desenvolvido o melhor cérebro do mundo animal. Há quem diga que desenvolveu, que a preguiça já pensou em tudo e resolveu que não valia a pena. Com duas semanas de existência, com o sangue fazendo o cérebro crescer duas vezes mais depressa do que o de qualquer outra espécie, a preguiça já tinha esquematizado toda a progressão da vida na Terra, desde o homem-macaco até Clóvis Bornay, desde a roda até o foguete e desde o tambor tribal até a ONU. E desistiu, antes de começar. Hoje o sangue lhe sobe à cauda, a preguiça não quer nem saber. Alguns frutos que estiverem à mão, pensamentos leves... Para a preguiça nenhuma crise é novidade: o mundo está de pernas para o ar há muito tempo.

ATÉ A
ESQUINA

Aconteceu mesmo. Um dia ele disse que ia na esquina comprar cigarro e desapareceu. Não é força de expressão, sentido figurado

ATÉ A
ESQUINA

ou piada. Ele disse exatamente isto. "Vou ali na esquina comprar cigarro"... E ficou dez anos desaparecido.

Há algum tempo, reapareceu. Bateu na porta, a mulher foi abrir, e lá estava ele. Dez anos mais velho, mas ele. Quieto. Sem dizer uma palavra.

A mulher despejou sua revolta em cima dele. Seu isso! Seu aquilo! Então você diz que vai na esquina comprar cigarro e desaparece? Me abandona, abandona as crianças, fica dez anos sem dar notícia e ainda tem o desplante, a cara de pau, o acinte, a coragem de reaparecer deste jeito? Pois você vai me pagar. Fique sabendo que você vai ouvir poucas e boas. Essa eu não vou lhe perdoar nunca. Está ouvindo? Nunca. Entre, mas prepare-se para...

Nisso o homem deu um tapa na testa, disse:

— Ih, esqueci os fósforos.

E desapareceu de novo.

TUDO SOBRE
SANDRINHA

"O desperdício. Entende? O desperdício." Era o que ele dizia depois que a Sandrinha foi embora. "Eu sei tudo sobre a Sandrinha. Conheço

TUDO SOBRE
SANDRINHA

cada sinal do seu corpo, cada pelo, cada marca. Alguém sabia que ela tinha uma cicatriz pequenininha aqui, embaixo do queixo? Pois é, não aparecia, mas eu sabia.

"Ela tinha uma pintinha numa dobrinha entre a nádega e a coxa que, aposto, nem a mãe conhecia. Nem ginecologista, ninguém. E o dedinho do pé virado para dentro, quase embaixo do outro? Era uma deformação, ninguém desconfiava. E eu sabia. E agora, o que que eu faço com tudo que sei da Sandrinha?"

* * *

Contou que passava horas olhando a Sandrinha dormir. Barriga para baixo, cara enterrada no travesseiro, a boca às vezes aberta. Mas não roncava. Às vezes ria. "Um dia ela riu, acordou, me viu olhando para ela e disse: 'Você, hein?', depois dormiu de novo. Acho que, no sonho, eu tinha feito ela rir.

"Depois ela não se lembrava do sonho, disse que eu tinha inventado. O que que eu faço com isto? De que me adianta saber como a Sandrinha raspava a manteiga, cantava uma música no chuveiro que ela jurava que existia, 'Olará-olarê, tou de bronca com você', que ninguém nunca tinha ouvido? E fechava um olho sempre que não gostava de alguma coisa, de uma sobremesa ou de uma opinião?"

* * *

Ele podia escrever um livro, Tudo sobre Sandrinha. Mas quem ia comprar? Não seria sobre ninguém importante. Não seria a biografia, com revelações surpreendentes, de uma figura histórica ou controvertida, só tudo o que ele sabia sobre uma moça chamada Sandrinha, que o deixara. O produto de anos de observação. Sandrinha na cama, Sandrinha no banheiro, Sandrinha na cozinha, Sandrinha correndo do seu jeito particular. Nenhum interesse para a posteridade. Dez anos de estudos postos fora.

* * *

"Estudei a Sandrinha em todas as situações, em todos os ambientes, em todos os elementos possíveis. Sandrinha na praia. Sandrinha enrolada num cobertor, comendo iogurte com fruta e vendo televisão. Sandrinha suada, Sandrinha arrepiada. O estranho efeito de relâmpagos e trovoadas nos cabelinhos da nuca de Sandrinha. Querem os cheiros da Sandrinha? Tenho todos catalogados na memória. Sandrinha gripada. Sandrinha distraída. Sandrinha contrariada, eufórica, rabugenta, com cólica e sem cólica, Sandrinha roendo unha ou discutindo o Kubrick. Não havia nada sobre a Sandrinha que eu não sabia. Toda esta erudição sem serventia."

* * *

"O desperdício. Não posso oferecer tudo o que sei sobre a Sandrinha para um inimigo. Seus momentos de maior vulnerabilidade, ouvindo o Chico ou errando o suflê. A Sandrinha, que eu saiba, não tem inimigos. Certamente nenhuma potência estrangeira. Não posso oferecer meus conhecimentos da Sandrinha para a Ciência. Se ela ainda fosse um fóssil que eu desenterrei e passei dez anos examinando e cujas características revolucionariam todas as teorias estabelecidas sobre o desenvolvimento humano. Se a sua maneira de raspar a manteiga fosse espantar o mundo... Mas não. Inventei uma ciência esotérica, de um praticante e de um interessado só. Não posso dar cursos, publicar teses, formar discípulos. Participar de congressos sobre a Sandrinha. Sou doutor em nada. Doutor em saudade. Entende? Desperdicei dez anos numa especialização inútil."

* * *

Não adianta tentar consolá-lo. Convencê-lo a esquecer a Sandrinha, se dedicar a outras. Ele diz que não está preparado para outras. Toda a sua formação é em Sandrinha.

* * *

Com outra — diz ele — se sentiria como essas pessoas com diploma em física nuclear ou engenharia eletrônica que acabam trabalhando de garçom.

ESTOU NUMA ILHA **DESERTA**

Existem várias histórias de garrafas lançadas ao mar com um bilhete dentro. Eu mesmo certa vez coloquei um bilhete dentro de

ESTOU NUMA ILHA
DESERTA

uma garrafa e larguei no mar. Até hoje não sei se o bilhete estava premiado ou não. Há o caso do náufrago que usou seu último toco de lápis para escrever um pedido de socorro no seu último pedaço de papel e o jogou no mar dentro da sua última garrafa vazia. A garrafa, levada pela correnteza, desapareceu no horizonte. Um mês depois voltou com o mesmo bilhete dentro, com várias correções de gramática. Ficou famoso o caso do navegador português que mandava telegramas dentro de vidrinhos de remédios, para chegar mais rápido. E do outro, brasileiro, que escreveu um bilhete pedindo socorro, rasgou o bilhete em vários pedacinhos, colocou cada pedacinho dentro de uma garrafa e mandou cada garrafa numa direção para aumentar suas chances de ser salvo. E do outro que usou uma garrafa de vinho para mandar um bilhete e uma meia garrafa para mandar um P.S. E o náufrago prolixo que só mandava garrafão?

* * *

A melhor história de garrafas e bilhetes que conheço é a de um anúncio, acho que do uísque Chivas Regal. Um cartum mostra alguém na praia lendo um bilhete retirado de uma garrafa trazida pelas ondas. O bilhete diz:

"Estou numa ilha deserta, só eu e oitenta caixas de Chivas Regal que sobraram do naufrágio. Por favor, não mande ajuda."

Você pode imaginar variações para esta história. Garrafas de champanhe começam a dar na praia, em sucessão. Cada uma com um bilhete dentro. Os primeiros bilhetes dizem:

"Estou numa ilha deserta com uma palmeira e cinco caixas de champanhe. Acendi uma fogueira para poderem me localizar. Por favor mandem ajuda."

O 13º bilhete diz:

"Estou numa ilha deserta com duas palmeiras e quatro caixas de champanhe. Acendi uma fogueira para poderem me localizar. Por favor, mandem ajuda."

O 24º bilhete diz:

"Estou numa palmeira deserta com duas ilhas, três caixas de champanhe e a Demi Moore. Acendi uma ajuda para poderem me localizar. Por favor mandem fogueira."

Dias depois:

"Estou numa fogueira com duas Demi Moores, quatro palmeiras e duas caixas de champanhe para poderem me ajudar. Acendi um favor, mandem uma ilha."

Depois:

"Estou numa Memi Doore com dois favores, uma caixa de champanhe, uma ilha, um deserto, 17 palmeiras e um elefante. Avistei um navio no horizonte e apaguei a fogueira depressa."

Finalmente:

"Estou numa ilha com 17 Medi Roomes, 15 elefantes, 10 palmeiras, oito favores desertos, ajudas acessas e seis fogueiras. Mandem cinco caixas de champanhe."

* * *

Ou então: chega uma garrafa na praia com um bilhete que diz:

"Estou numa ilha com a Sharon Stone e um orangotango que não apenas não deixa eu me aproximar dela como dá sinais de que vai querê-la como sua fêmea, com exclusividade. Por favor, façam uma destas quatro coisas:

a) mandem uma arma

b) mandem uma orangotanga

c) mandem a Demi Moore

d) se nada mais der certo, mandem uma filmadora."

A MULHER DO **VIZINHO**

Sérgio abriu a porta e era a mulher do vizinho. A fantástica mulher do vizinho. A fantástica mulher do vizinho dizendo "Oi". A fantástica

A MULHER DO

VIZINHO

mulher do vizinho perguntando, depois do "Oi", se podia pegar uma toalha que tinha voado da sacada deles — "Sabe, o vento" — para a sacada dele.

— Entre, entre — disse o Sérgio, checando, rapidamente, com a mão, se sua braguilha não estava aberta. Morava sozinho, às vezes se descuidava destas coisas.

Ela começou a entrar mas parou. Ficou como que paralisada, só os olhos se mexendo. Os grandes olhos verdes e arregalados indo de um lado para o outro.

— Ih — disse a mulher do vizinho. — Surtei.

— Que foi? — perguntou Sérgio, já pensando em como socorrê-la ("Vamos ter que desamarrar esse bustiê"), já pensando em ambulância, hospital, confusão, mal-entendido com o vizinho...

Mas ela explicou:

— O seu apartamento é exatamente o oposto do nosso. Preciso me acostumar...

Ela entrou devagarinho. Como se, além de ser o avesso do seu, o apartamento de Sérgio pudesse conter outras surpresas. O chão podia estar no teto e o teto no chão.

— Que coisa! — disse a mulher do vizinho, passando por Sérgio e parando no meio da sala.

Exatamente o que Sérgio tinha pensado ao ver que sobrava um pouco de nádega onde acabava o shortinho da mulher do vizinho. No caso, que coisas!

—Você quer sentar?

— Como?

— Até se orientar...

Ela sentou-se, ainda maravilhada.

— Nossa televisão também fica ali, só que ao contrário!

Ele tentou acalmá-la.

— Você quer um copo d'água?

— Você é solteiro?

— Sou.

— Meu marido é casado. Aliás, comigo. Viu só?

— O quê?

— É tudo ao contrário!

— É. Eu...

— Palmeiras ou Corinthians?

— Corinthians.

— Ele é Palmeiras!

— Puxa.

— Destro ou canhoto?

— Destro.

— Meu marido é canhoto!

— E você?

— Eu o quê?

— Palmeiras ou Corinthians? Destra ou canhota?

Ela tinha se levantado e estava andando pela sala.

Cuidadosamente, até se acostumar com tudo ao contrário. Disse:

— Não dou muita importância para essas coisas.

Foi nesse momento que Sérgio se apaixonou pela mulher do vizinho. Os grandes olhos verdes tinham ajudado, claro. Os nacos de nádega sobrando do shortinho também. As coxas longas, sem dúvida. O "erre" meio carregado (ela dissera "Palmeirrras" e "Corrinthians", em alemão) contribuíra. Mas Sérgio se apaixonou pela mulher do vizinho quando ela declarou que não dava muita importância para essas coisas, times de futebol, ser destro ou ser canhoto... Ficou esperando que ela dissesse "Isso é coisa de homem" para se atirar aos seus pés e beijá-los, mas ela não disse. Ela conseguiu chegar até a sacada, apesar de desorientada, e apanhar a toalha. Mas quando se virou para reentrar na sala, ficou paralisada outra vez. Ficou em pânico.

— Ai meu Deus.

— O que foi?

— A porta da rua. Onde fica a porta da rua?

— É aquela ali.

— Ai meu Deus. Eu não consigo me orientar.

— Pense no meu apartamento como o seu apartamento visto no espelho. A esquerda fica na direita e a direita...

— Por favor: esquerda e direita não, senão complica ainda mais!

Ele foi buscá-la. Ele foi salvá-la da sua confusão. Ele enlaçou sua cintura com um braço, segurou a sua mão e começou a acompanhá-la até a porta, como se dançassem um minueto. Pensou em dizer que também estava desorientado (o amor, o amor) e levá-la para o seu quarto, para a sua cama. Imaginou-se tendo dificuldade para desamarrar o bustiê, os dois chegando à conclusão que no apartamento dele o bustiê deveria ser desamarrado ao contrário, depois desistindo de desamarrar o bustiê e se amando. O bustiê arrancado. O shortinho arrancado. E a mulher do vizinho, como se não bastassem o "erre" um pouco carregado e tudo mais, revelando que não usava calcinha. E dizendo que ele era tudo que o vizinho não era. Que ele era o oposto do vizinho em tudo. Em tudo!

Mas chegaram, não ao orgasmo simultâneo ("Com ele isto nunca aconteceu, com ele é o contrário!") mas à porta. Ela agradeceu, se despediu e já ia saindo, levando a sua toalha, e todas as esperanças do Sérgio, quando se virou, deu outra passada de grandes olhos verdes pelo apartamento, e disse:

— Preciso voltar aqui.

— Para se acostumar — disse Sérgio.

— É — disse ela.

E sorriu.

Ainda por cima, ela sorria!

A ESTRATEGISTA

Bete especializou-se na prospecção de viúvos. Procura convites para enterro de senhoras cujo marido é um dos que convida. E em

A ESTRATEGISTA

que não conste "netos". De preferência, nem "filhos". Sinal de que a mulher morreu jovem. Falecida moça, viúvo moço. Precisando de consolo imediato. O ideal é quando há mais de um convite para o enterro, quando a firma do marido também convida. E dá a posição do viúvo na vida. "Nosso gerente", ótimo. "Nosso diretor financeiro", melhor ainda. "Nosso diretor presidente", perfeito! Um diretor presidente com 40 anos ou menos é ouro puro. Segundo a Bete.

Bete comercializa sua informação. Tem uma lista de clientes. Dá instruções sobre a abordagem do viúvo, que deve começar no próprio velório. Recomenda um conjunto escuro e sóbrio, mas com um decote que mostre o rego dos seios. O rego dos seios é importantíssimo. O viúvo precisa ter uma amostra do que existe por baixo do terninho compungido já no abraço de pêsames.

— O que que eu digo?

— Chore. Diga "Eu não acredito". Diga "A nossa Pixuxa".

— "Pixuxa"?!

— Era o apelido dela. Estava no convite.

— A nossa Pixuxa. Certo.

— E não esquece de beijar perto da boca, como se fosse descuido.

Bete não cobra muito pelo seu trabalho. Faz mais pelo desafio, pelo prazer de um desfecho feliz, cientificamente preparado. Quando consegue "colocar" uma das suas clientes, sente-se recompensada. Não é verdade que tenha informantes nos hospitais de primeira classe da cidade e que muitas vezes, quando a mulher morre, ela já tem um dossiê pronto sobre o viúvo, inclusive com situação financeira atualizada. Trabalha em cima dos convites para enterro, empiricamente, com pouco tempo para organizar o ataque. Procura se informar o máximo possível sobre o viúvo, depois telefona para uma interessada e expõe a situação.

— O nome é bom. Parece que é advogado. Entre 55 e 60 anos. Aproveitável. Dois filhos, mas já devem ter saído de casa.

— Entre 55 e 60, sei não...

— É pegar ou largar. O enterro é às cinco.

Bete vai junto aos velórios. Para dar apoio moral, e para o caso de algum ajuste de última hora. Como na vez em que, antes de conseguir chegar no viúvo, sua pupila foi barrada pela mãe dele, que perguntou:

— Quem é você?

A pretendente começou a gaguejar e Bete imediatamente colocou-se ao seu lado.

— A senhora não se lembra da Zequinha? Uma das melhores amigas da Vivi e do Momô.

Era tanta a intimidade que a mãe do viúvo, embora nunca soubesse que o apelido do seu filho fosse Momô, recuou e deixou a Zequinha chegar nele, com seu rego. Foi um dos triunfos da Bete.

Naquele mesmo ano, Momô e Zequinha se casaram. Alguns comentavam que tudo começara no enterro da pobre da Vivi, outros que o caso vinha de longe. Ninguém desconfiou que fora tudo planejado. Que havia um cérebro de estrategista por trás de tudo.

Bete tem medo das livre-atiradoras, das que invadem o seu território sem método, sem classe, enfim, sem a sua orientação. Quando o viúvo é uma raridade, uma pepita — menos de 40, milionário, quatro ou cinco empresas participando o infausto evento, sem herdeiros conhecidos, e bonito — Bete faz questão que sua orientada chegue cedo no velório, abrace o prospectado, expresse seu sentimento ("A nossa Ju! Eu não acredito!"), beije-o demoradamente perto da boca, por descuido, e fique ao seu lado até fecharem o caixão, alerta contra outros decotes.

Enquanto isso, Bete cuida da retaguarda. Observa a aproximação de possíveis concorrentes e, quando pode, barra o seu progresso em direção ao viúvo. ("Por favor, vamos deixar o homem em paz.") De tanto frequentar velórios, Bete já conhece a concorrência. Sabe que elas vêm dispostas a tudo. Quando o viúvo é muito importante e forma-se uma multidão à sua volta, dificultando o acesso, abrem caminho a cotoveladas. Não hesitam nem em ficar de quatro e engatinhar, entre as pernas, até o viúvo. A Bete compreende. Sabe o valor de um bom viúvo em tempos como este.

"Estamos numa selva", diz Bete, para encorajar alguma cliente que hesita. E lembra sempre:

— Mostre o rego. O rego é importantíssimo.

SUFLÊ DE
QUEIJO 2

Jorge conta a Marta que convidou seu novo chefe para jantar.

— Eu falei do meu suflê de queijo e ele se interessou.

SUFLÊ DE
QUEIJO 2

— Você falou no seu suflê de queijo assim, sem mais nem menos?

— Não. Não lembro qual era o assunto. Nós estávamos numa reunião e de repente se falou em suflês.

— Que estranho. Não é uma firma de corretagem? Vocês falam muito em suflês nas reuniões?

— Não interessa. O fato é que ele vem jantar aqui. Aceitou na hora.

— Quando?

— Amanhã.

* * *

Na noite seguinte:

— Você vai usar esse vestido?

— Por quê?

— Usa aquele teu preto. O decotado.

— Ó, Jorge! Quié isso?

— Você fica muito bem naquele vestido e eu quero que ele veja como a minha mulher é bonita.

— Você quer que ele veja os meus peitos, é isso?

— Não, Marta. É pra, sei lá. Combinar com o jantar. Com as velas, com o suflê...

— Este vestido está bom.

— Marta. Por favor.

— Não sei que diferença vão fazer os meus peitos.

* * *

Jorge, depois de um suspiro de impaciência:

— Marta, acho que você não se deu conta da importância deste jantar. Pra mim. Pra nós. Ele é o novo chefe. Está num período de avaliação da equipe. Tem gente que vai pra rua. Ele é quem decide. Está entendendo? Eu posso ir pra rua.

— Se ele não gostar do seu suflê?

— Não, Marta! Mas ele aceitar vir provar meu suflê é um sinal de que quer me conhecer melhor. Podemos ficar amigos. Este jantar pode decidir a nossa vida, Marta. Preciso que você faça a sua parte.

— Mostrando os peitos...

— E não só isso.

* * *

— Não só isso, Jorge?!

— Marta, chegou a hora de saber o que você está disposta a fazer por mim. Pela minha carreira. Pelo nosso futuro. Por nós.

— Como assim?

— Você sabe que eu tenho que ficar na cozinha quando o suflê estiver ficando quase pronto. Os últimos minutos são cruciais para um suflê de queijo não passar do ponto. E você vai ficar sozinha com ele na sala. Marta...

— Jorge, você é que está passando do ponto.

— Marta, isto não é hora de pensar em fidelidade, em moral, em mais nada. É hora de pensar no meu emprego e na nossa renda. É hora de você pensar nas prestações do seu cartão de crédito, Marta!

— Mas...

— Vá botar o vestido decotado!

* * *

Chega o novo chefe para jantar.

— Marta, este é o Ciro. Ciro, esta é a Marta, minha mulher.

É evidente a surpresa na cara de Ciro.

— Sua mulher?

— É.

— Eu não sabia que você era casado.

— Sou, sou. E bem casado.

— Prazer — diz Ciro, estendendo uma mão lânguida para Marta apertar. A decepção substituiu a surpresa no seu rosto.

Mais tarde, na cozinha, onde entrou para buscar o gelo, Marta comenta com Jorge, que acaba de colocar o suflê no forno:

— Acho que ele está a fim é de você, Jorge.

— Nem brincando, Marta.

— Chegou a hora de saber o que você está disposto a fazer pela sua carreira. Pelo nosso futuro. Por nós, Jorge.

A REPRESÁLIA

A Cleide chegou da rua furiosa. Atirou as compras do super em cima da mesa da cozinha e declarou:

— O seu Hermínio passou

A REPRESÁLIA

a mão na minha bunda!

O Oscar tinha recém se sentado para ver o *Jornal Nacional*. Disse:

— O quê?

— O seu Hermínio passou a mão na minha bunda.

— Quando? Onde?

— Agora mesmo. No elevador.

— O seu Hermínio?! Do 602? Eu não acredito.

— Ah, não acredita? Pois eu também não acreditei. Mas aconteceu.

— Você tem certeza? Não foi um esbarrão, um...

— Nada. Passou a mão. Eu carregada de compras, sem poder me defender, e ele zupt. E agora?

Pois é. E agora? O que fazer? Era preciso tomar uma atitude. Mas qual? O seu Hermínio do 602 era um bom vizinho. Todos os vizinhos eram bons. O prédio vivia em paz. Fora um pequeno incidente na garagem, uma porta de carro amassada e nunca explicada, e as desconfianças despertadas, e a festinha que um dia passara da conta dos gays da cobertura, nada nunca ameaçara a paz do prédio. Todos se respeitavam. E agora aquilo.

— Você não vai tomar uma atitude, Oscar?

— Vou. Claro. Mas espera um pouquinho.

— Como, espera um pouquinho?

— Espera um pouquinho, Cleide! Você quer que eu bata na porta do 602 e peça satisfações ao seu Hermínio? Boa noite, e que história é essa de passar a mão na bunda da mulher dos outros? Espera um pouquinho.

— Esperar o quê, Oscar?

— Vamos com calma.

O seu Hermínio era mais velho do que o Oscar. Era o inquilino mais antigo do prédio. Aposentado, morava com a mulher e um gato. Não era de falar muito, mas era cortês. Segurava a porta do elevador para os outros. Respondia a comentários sobre o tempo ou o futebol com um "Pois é" meio aéreo. Nas reuniões de condomínio, não dava palpites. O seu Hermínio era a personificação da paz num prédio em que ninguém se metia na vida de ninguém.

E a Cleide queria que o Oscar soqueasse o seu Hermínio? Ameaçasse contar para a sua mulher, a dona Lurdes? Agisse como um marido ultrajado?

— Você é um marido ultrajado, Oscar.

— Não. Espera um pouquinho.

A Cleide precisava compreender que havia outras coisas em jogo, além da sua bunda. Um contexto maior. A questão diplomática. Uma desavença entre eles e o seu Hermínio fatalmente se espalharia e afetaria a harmonia no prédio. A vizinhança nunca mais seria a mesma. E outra coisa que a Cleide precisava entender: aquele negócio de marido ultrajado era meio antigo. Estavam no século 21. Outra moral. Outras prioridades.

— Quer dizer que passam a mão na bunda da sua mulher e fica por isso mesmo? Você não faz nada?

— Espera um pouquinho. Vamos raciocinar friamente.

Decidiram-se por uma represália branda. Na primeira oportunidade que tivesse, Oscar passaria a mão na bunda da dona Lurdes. O seu Hermínio entenderia o significado do gesto. Ficariam quites. Zero a zero, e não se falava mais no assunto. A paz do prédio seria mantida. E dali a dias aconteceu do Oscar e da dona Lurdes subirem juntos no elevador. E o Oscar zupt na bunda da dona Lurdes. Que se virou para ele com um sorriso e disse:

— O Hermínio sai para jogar bridge todas as quintas, às oito.

Iiiiih, pensou o Oscar. A Cleide me mete em cada uma...

ESCANHOAR-SE OU NÃO

ESCANHOAR-SE

Um homem fazendo a barba na frente do espelho está num momento crucial da sua existência. É um momento que se repete

ESCANHOAR-SE OU NÃO

ESCANHOAR-SE

todas as manhãs, tão banal que ele mesmo não se dá conta do seu significado maior. Mas todas as manhãs o homem se depara com uma escolha que pode mudar sua vida. Deixo ou não deixo crescer a barba?

A barba quer existir. Todos os dias ela tenta. Todos os dias aparecem as pontas dos fios que, se o homem deixar, crescerão, ocuparão o seu rosto e mudarão seu visual e possivelmente sua personalidade e seu destino. E tudo depende da crucial escolha de todas as manhãs: rapar ou não rapar? Escanhoar-se ou não escanhoar-se? Ser ou não ser um homem com barba? E com que tipo de barba?

A escolha do homem pode ser apenas experimentar. Ele pensa: não faço a barba por alguns dias, vejo como ela cresce e como é que fica, depois decido que tipo de barba eu quero. Posso deixá-la crescer desimpedida, sem retoques, ou posso guiá-la, aparando aqui, desbastando ali, como um artista redesenhando o próprio rosto. É óbvio que Deus e a Natureza querem que eu tenha uma barba, senão ela não insistiria tanto em crescer, mas a decisão de como ela vai ser — que tamanho (Robinson Crusoé ou Lula?), que estilo (renascentista, intelectual desleixado etc.?) — depende unicamente de mim. A genética, a biologia, o meio ambiente e o saldo bancário determinam o que eu sou, mas da decoração do meu rosto cuido eu.

É comum você encontrar barbas tão estranhas que deixam a dúvida: como será que seu portador se imagina, para ter uma barba assim? Que possível autoimagem ou critério estético tem um homem cuja barba se resume num tufo abaixo do lábio inferior? Ou num bigode fino que desce pelos lados da boca em tiras que se reencontram na ponta do queixo? Você pode aceitar uma barba tipo dom Pedro II como apenas uma homenagem patriótica, mas aquele seu pacato amigo que um dia aparece com o bigode do chanceler Von Bismarck certamente decidiu mostrar ao mundo que não é nada do que parecia ser, escanhoado. Ou era mas não é mais.

Alguns bigodes hoje são inconcebíveis. Depois de Hitler, ninguém mais quis ter o bigode do Carlitos. E se você decidiu ter o bigode do Nietzsche para dar uma ideia de vigor físico e mental, saiba que o projeto levará muitos anos. Quando o bigode finalmente atingir a dimensão desejada para impressionar, estará totalmente branco, e a única impressão que você dará será a de um bom velhinho, em vez de um leão da filosofia. Um bigode como o do Nietzsche precisa ser começado na infância.

Você está na frente do espelho. Uma manhã como qualquer outra. Aparelho de barbear ou barbeador elétrico na mão. E de repente você decide: vou mudar de cara. Está implícito na sua decisão que você quer ser outro, com outra vida, mas por enquanto só o que você pensa é: já que a barba insiste tanto em crescer, que cresça. Que apareça. Dou permissão. Depois escolherei a cara que quero ter. Mas no seu subconsciente você já está escolhendo. Um cavanhaque. Sim, um cavanhaque. Talvez um bigode com as pontas reviradas. Ou então... Sim, Mefistófeles. É isso. Uma barba indisfarçavelmente demoníaca.

Vamos ver que vida vem junto.

— Querido, você não fez a barba hoje?

— Não. Decidi dar uma folga.

— Fica um aspecto tão sujo...

Você sorri. Ela não sabe o que a espera.

OS SEIOS DA MARIA ALICE

O irmão da noiva foi encarregado de fazer o vídeo do casamento e apareceu no altar com um negro grande chamado Rosca para

OS SEIOS DA

MARIA ALICE

segurar as luzes. O irmão e o Rosca passaram todo o tempo circundando o casal e o padre, com o irmão sinalizando onde queria as luzes e o Rosca tirando padrinhos e madrinhas do caminho, subindo em nichos do altar e se agarrando em santos para se colocar, e a certa altura da cerimônia batendo no ombro do padre e pedindo "Qué dá licença?" porque o padre estava fazendo sombra.

* * *

Na fila dos cumprimentos a Maria Alice, com quem o noivo quase se casara, se aproximava, com seus seios portentosos. Mais de uma amiga, depois de beijar a noiva, avisou: "Viu quem está na fila?" e a noiva firme, só pensando "Cadela". Quando Maria Alice e seu decote chegaram na frente do noivo ele, de olho no decote, perguntou "Como vão vocês?" e depois não pôde se corrigir porque a Maria Alice estava abraçando-o e beijando-o e desejando toda a felicidade do mundo, viu? De coração. E para a noiva: você também, querida.

* * *

Na recepção, depois, a mãe da noiva dançou com o noivo, o pai do noivo dançou com a noiva, a mãe do noivo dançou com o pai da noiva, a nova mulher do pai da noiva dançou com o namorado da mãe do noivo, a terceira mulher do pai do noivo dançou com o Rosca e o padrasto da noiva, felizmente, estava com um problema na perna.

* * *

— Você, quando viu a Maria Alice, não...

— Não!

— Jura?

— Juro.

— Porque com todo aquele enchimento...

— Enchimento? Você acha?

— Pelo amor de Deus! Silicone!

— Sei não...

Ele ia dizer que conhecia os seios da Maria Alice pessoalmente, que botava as mãos no fogo pelos... Mas ela tinha começado a chorar.

— Bitutinha! O que é isso?

— Não sei...

— Chorando por causa dos seios postiços da Maria Alice, Bitutinha?!

— É insegurança, entende?

* * *

Quarta ou quinta noite da lua de mel. Bom como nunca tinha sido antes, nem no namoro. A janela aberta, um único grilo prendendo a noite lá longe, como um alfinete de som, e os dois suados e abraçados na cama do hotel-fazenda. Tão apertado que um parecia querer atravessar o outro, porque não sabiam o que dizer, não sabiam o que era aquilo, aquele se gostar tanto. Bom de doer, bom de assustar. E ele pensando: vai dar certo, vai ser sempre assim, nós vamos ser sempre assim, a felicidade é esta coisa meio muda e desesperada que a gente não quer que acabe, ela vai ser minha mulher para sempre e vai ser bom, eu não precisava ter me preocupado tanto só porque ela pediu para tocarem *Feelings* no casamento.

* * *

— Só dá a Maria Alice!

No teipe do casamento, era mesmo a Maria Alice, no seu vestido vermelho, quem mais aparecia. Mais, até, do que a noiva. O irmão tentou se explicar:

— O vermelho atrai a câmera.

E prometeu um parecer científico que comprovava o fenômeno.

* * *

— Lembra do Rosca pedindo para o padre se afastar porque estava atrapalhando a filmagem?

— Parece que faz tanto tempo, né?

— Bom. Brincando, brincando, lá se vão...

Brincando, brincando, lá se tinham ido dois anos. Depois foram mais cinco, depois mais três...

— Você se dá conta de que nós estamos casados há doze anos? Doze anos já se passaram!

E ele, distraído:

— Essas coisas, quando começam, não param.

* * *

— Como é que você me chamava?

— Eu?

— É. Você tinha um apelido pra mim. Na cama. Lembra?

— Tem certeza que era eu?

— Burungunga. Não, Burungunga não. Tutuzinha? Não...

— Pokémon?

— Não, nem existia, na época. Era alguma coisa como... Xurububa.

— Duvido.

* * *

E um dia ele leu no jornal que a Maria Alice faria uma palestra sobre Psicologia Motivacional. Tinha fotografia da doutora Maria Alice: óculos, papada, busto matronal. O tempo, pensou ele. O tempo é isso, o que transforma os seios da Maria Alice em busto matronal. A destruição de impérios e civilizações é só efeito colateral, e não nos diz respeito.

GRAVANDO

Alguém já deve ter tido a ideia de fazer um filme contando a história de um personagem através de imagens captadas ao longo da

GRAVANDO

sua vida, do parto — gravado pelo pai — à morte num acidente de trânsito gravado por uma câmera de rua, ou num assalto gravado pelo circuito interno de uma loja. Toda uma vida registrada em tape. Cenas da festa do seu primeiro aniversário. Seus primeiros passos. Suas primeiras palavras ("Diz alô vovô para a câmera, diz!"). Sua participação numa peça da escola ("Eu sou o de barba"). Sua formatura, com a imagem balançando porque a mãe não sabia usar a câmera.

Cenas de um veraneio com a família numa praia do Espírito Santo que inclui a tia Julinha fazendo sua imitação das bailarinas do "Tchã" e todo o mundo comendo milho e acabando numa guerra de espigas. A fita com sua declaração de amor eterno para a namorada que ela não pôde ouvir porque o som estava ruim e quando ele consertou o som o namoro já tinha terminado. Toda uma vida.

Inclusive o que foi gravado sem ele saber. Sozinho dentro de um elevador, fazendo caretas para o espelho, depois olhando-se de perfil e encolhendo a barriga. No almoxarifado da loja em que trabalhou por um período, no maior amasso com a dona Solange da contabilidade. Num balcão de bar, olhando em volta antes de pegar o biscoito que alguém do seu lado deixou no pires do cafezinho. Numa loja de moda masculina, experimentando o terno que usaria na entrevista que seu tio Felício arranjou, para ele trabalhar no gabinete de um político. Sua pequena dança de satisfação no lado de fora do gabinete do político, depois de conseguir o emprego. Tudo captado pelas câmeras.

No tape da festa de despedida gravada por um amigo na véspera da sua viagem a Brasília com o político, que se elegeu deputado federal, ele faz um discurso emocionado, prometendo que ajudará a representar seu Estado com muito trabalho e muita honestidade, antes de tentar dar um beijo na câmera e cair de cara no chão, completamente bêbado. Há um tape da sua partida para Brasília com cara de ressaca. Há tapes dele em trânsito nos corredores do Congresso e atrás do deputado em entrevistas, e ao seu lado na solenidade em que o deputado é empossado no cargo de ministro. Como chefe de gabinete do ministro, ele chegou ao ápice da sua carreira, ao ponto mais alto da sua história. E está tudo registrado.

A diferença entre, por exemplo, as imagens do seu parto e as imagens dele recebendo maços de dinheiro de propina, feitas por uma minicâmera escondida, seria notável. Com os avanços havidos nas câmeras eletrônicas, que hoje podem ser montadas, literalmente, em qualquer lugar, a qualidade das imagens se aproxima da perfeição, mesmo que as câmeras tenham o tamanho de botões de lapela. As cenas finais do nosso filme hipotético seriam de grande nitidez e impacto, mostrando o personagem enchendo os bolsos de dinheiro, depois fechando os olhos para uma breve oração agradecida. O final do filme poderia ser nosso personagem morrendo num desastre de trânsito, gravado por uma câmera de rua, ou num assalto, gravado pelo circuito interno de uma loja, ou gravando uma entrevista para a TV em que nega ter recebido propina, diz que tudo não passa de uma armação e que Deus estava lá e pode testemunhar. E entregando-se ao julgamento do tempo, que, no Brasil, como se sabe, perdoa tudo.

O fato é que hoje vivemos sob a fiscalização de câmeras nos lugares mais inesperados, gravando o que fazemos, e até quem não tem culpa se sente constrangido. Você eu não sei, mas eu não faço mais caretas para o espelho em elevador vazio.

UMA MULHER **FANTÁSTICA**

Ela perguntou como ele reagiria se um dia uma tia hipotética dela viesse hospedar-se com eles. Ele respondeu:

UMA MULHER
FANTÁSTICA

— E desde quando a sua tia solteira de Surupinga se chama Hipotética? Eu sei que ela se chama Amanda. Você vive falando nela.

— Está bem. A tia não é hipotética. É a tia Amanda.

— A visita dela é hipotética.

— Também não.

— Eu sou hipotético.

— Não. Você é um homem compreensivo, que receberá a tia Amanda como se ela fosse a sua tia também. Porque você sabe como eu gosto dela.

— Você não gosta da sua tia Amanda. Você adora a sua tia Amanda. A tia Amanda é seu ídolo.

— Eu sempre achei ela um exemplo de mulher moderna, ativa, independente...

— Que nunca saiu de Surupinga.

— Como não? A tia Amanda mora em Surupinga mas conhece o mundo todo! Já fez até um curso de respiração cósmica na Índia.

— Respiração cósmica?

— Você aprende a respirar no ritmo do Universo, muito mais lento e profundo do que o ritmo da Terra.

— E do que o de Surupinga...

— Ela sempre volta para Surupinga porque cuida dos negócios da família. A tia Amanda também é uma executiva de sucesso. É uma mulher fantástica.

— E quando seria essa visita hipotética da tia Amanda?

Ouvem a campainha da porta.

— Deve ser ela agora!

— Espera. E onde a tia Amanda vai dormir?

— Aqui, no sofá.

— No sofá? Não vai ser desconfortável, para uma senhora?

— E quem disse que ela é uma senhora?

Tia Amanda não é uma senhora. É uma moça. Linda. Elegante. Fantástica.

— Titia!

— Celinha! Querida!

— Entre!

— Preciso de um homem para carregar esta mala.

— Por sorte, eu tenho um em casa.

* * *

Tia Amanda examina-o dos pés à cabeça.

— Mmm. Então esse é o famoso... como é mesmo o nome?

— Reinaldo.

Quem diz o nome é a Celinha, porque Reinaldo está paralisado. Fascinado. Embasbacado. Finalmente, consegue falar.

— E essa é a famanda tia Amosa. Ahn, a famosa tia Amanda.

Tia Amanda olha em volta da sala, antes de dar seu veredicto com um sorriso irônico:

— Acolhedora.

— Você gosta?

— Um dia vocês lembrarão deste período em suas vidas e se perguntarão: "Como podemos ser felizes com tão pouco?" É o que os franceses chamam de "nostalgie de la privation"...

— E como vão todos em Surupinga?

— Ninguém vai em Surupinga, minha querida. Em Surupinga só se fica.

— E você, titia? Arrasando corações, como sempre?

— Você sabe o que eu penso dos homens, Celinha. Homem só serve para abrir pote e segurar porta.

Ela se dá conta da presença de Reinaldo e acrescenta:

— Desculpe, Roberto. E para carregar mala.

— E os negócios?

— Cada vez melhores e mais aborrecidos. Eu precisava dar uma saída. Como Paris nesta época é muito chuvosa e Nova York tem brasileiro demais, decidi vir visitar minha sobrinha querida, que não via há tanto tempo.

— E conhecer meu marido.

— Quem? Ah, isso também... Mas chega de falar só de mim. Vamos falar de você. Você estava com saudade de mim, estava?

* * *

Mais tarde, Reinaldo e Celinha no quarto:

— Você disse que ela era fantástica mas esqueceu um detalhe.

— Qual?

— Ela, além de fantástica, é... fantástica!

— Vocês conversaram bastante enquanto eu fazia o jantar...

— Conversamos. Combinamos que ela vai me dar aulas de respiração cósmica.

Celinha ficou pensativa, antes de dizer:

— Não sei se vai ter tempo...

— Por quê?

— Ela vai embora amanhã de manhã.

— Já? Por quê?

— Os negócios em Surupinga. Estão exigindo a presença dela.

— Ela lhe disse?

— Não. Ela ainda não sabe.

Celinha chegara à conclusão que as pessoas às vezes podem ser fantásticas demais.

O ANIVERSARIANTE

Muitas vezes a coisa mais importante para manter um casamento estável não é a fidelidade, a honestidade ou sequer o amor — é o

O ANIVERSARIANTE

raciocínio rápido. Como mostra a história que segue.

— Feliz aniversário, doutor Roberto!

— Obrigado, Maura. Obrigado. Pelo menos alguém se lembrou. Pelo menos a minha secretária...

— Eu nunca esqueço o seu aniversário, doutor Roberto.

— É verdade. Eu sei. E este ano, você foi a única que não esqueceu.

— Mas a dona Vivinha...

— Minha mulher? Foi viajar. Escolheu justamente hoje para ir visitar a mãe dela e levar as crianças.

— Eu sinto muito, doutor Roberto.

— Pois é. Esqueceu.

Naquela manhã, antes de sair de casa, ele ainda dera uma indireta.

— Sabe que eu estou me sentindo ótimo, para a minha idade?

A Vivinha nem ouvira. Estava ocupada fazendo sua mala. Depois iria ajudar as crianças a se prepararem para a viagem. Quando ele a beijou na face, disse:

— Olha, tem uma lasanha na geladeira para esta noite. É só esquentar. Nos outros dias você vai ter que comer fora. É só até domingo.

Uma lasanha. Seria o seu jantar de aniversário. Uma lasanha solitária. A triste lasanha de um abandonado. Nem seu Itacir, porteiro do edifício, se lembrara de cumprimentá-lo.

— Maura...

— Sim, doutor Roberto.

— Por favor, não interprete mal o que eu vou dizer...

— O que, doutor Roberto?

— Você... tem algum programa para esta noite?

— Não. Só ir para casa, jantar e ver *A Favorita*.

— Sozinha?

— Com a minha mãe, que mora comigo.

— Você não tem, assim, um namorado?

— Tinha, doutor Roberto.

E Maura sorriu antes de continuar:

— Mas ele também esquecia muita coisa que não devia esquecer.

— Venha jantar comigo na minha casa, Maura. Uma lasanha. Não vai ter ninguém lá. E eu tenho televisão.

Maura disse que só precisava avisar sua mãe. Estava subentendido entre eles que uma lasanha pode ser apenas uma lasanha, mas também pode ter decorrências. Afinal, ela estava sem namorado e ele estava se sentindo ótimo para a sua idade. A lasanha podia muito bem inaugurar uma nova fase no relacionamento dos dois, depois de todos aqueles anos. Se tudo desse certo.

Quando ele abriu a porta do apartamento e entrou com a Maura, todas as luzes se acenderam e dezenas de vozes gritaram:

— SURPRESA!

A Vivinha liderava o coro, rodeada pelos filhos. Atrás deles, parentes, amigos — até a sogra, que viera especialmente para a festa. Vivinha hesitou antes de abraçá-lo, visivelmente intrigada com a presença da Maura. Foi quando entrou o raciocínio rápido. Esforçando-se para recuperar o fôlego e um ritmo cardíaco normal, Roberto disse:

— Você não pensou que podia me enganar tão facilmente, pensou?

— Você sabia?!

— O seu Itacir não pode guardar segredo. Não se aguentou e me contou de todos os preparativos.

— Não! — gritou Vivinha, abraçando e beijando o marido e depois sua secretária de tantos anos que, claro, ele fizera muito bem em convidar para a festa.

— Entre, entre, fique à vontade — disse Vivinha para Maura.

E Roberto pensou, respirando fundo: amanhã vou ter que dar uma boa gorjeta para o seu Itacir confirmar sua inconfidência.

LIBERDADES

É livre quem pode fazer o que quiser — dentro das suas limitações de espaço, tempo, energia e recursos. Só se é livre dentro de

LIBERDADES

certos limites. Portanto, toda liberdade é condicional.

* * *

Só é totalmente livre quem pode exercer a sua vontade sem qualquer limitação moral ou material. Isto é: o tirano. Assim, a liberdade suprema só existe nas tiranias.

* * *

Dizer que a minha liberdade termina onde começa a liberdade do outro é muito bonito. Mas e se a liberdade foi mal distribuída e o meu vizinho tem um latifúndio de liberdade enquanto a minha é um quintal de liberdade, liberdade mesmo que tadinha? Não é feio sugerir um reestudo da divisão.

* * *

Cuidado com quem dá aos outros toda a liberdade. Geralmente é quem pode tirá-la.

* * *

Há os que passam o dia inteiro livres e chegam em casa se queixando disso. São os motoristas de táxi. Toda liberdade é relativa.

* * *

Toda liberdade é relativa. Verdade exemplarmente ilustrada por este diálogo entre o preso e o carcereiro.

— Nunca mais vou sair daqui.

— Calma. Não desanime.

— Não tem jeito. Estou aqui para sempre.

— Vou ver o que posso fazer por você.

— Não adianta. Estou condenado. Desta prisão eu não saio. Se esqueceram de mim.

— Eu não esquecerei. Voltarei para visitá-lo.

— Promete? — diz o carcereiro.

* * *

Quem é livre às vezes não sabe. Quem não é livre sempre sabe. Ou será o contrário? A gente vê tanta gente inexplicavelmente feliz.

* * *

Alguns são obcecados pela liberdade e prisioneiros da sua obsessão.

* * *

Os loucos são livres e vivem presos por isso.

* * *

Poderia se dizer que livre, livre mesmo, é quem decide de uma hora para outra que naquela noite quer jantar em Paris e pega um avião. Mas mesmo este depende de estar com o passaporte em dia e encontrar lugar na primeira classe. E nunca escapará da dura realidade de que só chegará em Paris para o almoço do dia seguinte. O planeta tem seus protocolos.

* * *

Fala-se em liberdade como se ela fosse um absoluto. Mas dizer "eu quero ser livre" é o mesmo que dizer "eu quero" e não dizer o quê. Existe a Liberdade De e a Liberdade Para. Não é uma questão apenas de preposições e semântica. É a questão do mundo. O liberalismo clássico iconizou a Liberdade Para. Você é livre se tem liberdade para dizer o que pensa e fazer o que quer, para ir e vir e exercer o seu individualismo até o fim, ou até o limite da liberdade do outro. A ideia de que a verdadeira liberdade é a Liberdade De é recente. Livre de verdade é quem é livre da fome, da miséria, da injustiça, da liberdade predatória dos outros. A ideia é recente porque antes era inconcebível.

Ser livre do despotismo era automaticamente ser livre para o que se quisesse, para a vida e a procura individual do paraíso. Foi preciso uma virada no pensamento humano para concluir que Liberdade Para e Liberdade De não eram necessariamente a mesma liberdade e outra virada para concluir que eram antagônicas. A última virada é a decisão de que uma liberdade precisa morrer para que a outra viva. Não concorde com ela muito rapidamente.

* * *

Enfim, de todos os crimes que se cometem em nome da liberdade, o pior é a retórica.

* * *

Mas eu desconfio que a única pessoa livre, realmente livre, completamente livre, é a que não tem medo do ridículo.

CRER

O garoto me pediu um cavalo. Eu perguntei: "Um cavalinho de brinquedo?" Ele disse: "Não, um cavalo de verdade." Eu disse que ia

CRER

ver, mas que seria difícil carregar um cavalo de verdade no meu saco.

Ele ficou me olhando. Depois disse:

— Você não é o Papai Noel de verdade, é?

— Claro que sou. Por que você pergunta?

— Porque no outro xópi tem um Papai Noel igual a você.

— E você pediu um cavalo pra ele?

— Pedi. E ele disse que ia me dar.

— Bom, talvez o saco dele seja maior do que o meu.

— Mas o Papai Noel de verdade é ele ou é você?

* * *

O que dizer para o garoto? É que nós temos o poder da ubiquidade, entende? Ubiquidade. A capacidade de estar em mais de um lugar ao mesmo tempo. Onipresença. Pergunte a sua mãe. Só existe um Papai Noel, mas ele está por toda parte. Está em todos os shoppings do mundo. Cada Papai Noel é a manifestação de uma mesma e única entidade superior. Só muda o nome e o tamanho do saco. Eu sei, é um conceito difícil de entender. Ainda mais na sua idade. Há anos, séculos, discute-se a natureza desta entidade multipartida. Existiu um Papai Noel histórico, que viveu e morreu, mas seu espírito perdurou, e perdura até hoje, porque a sua essência transcendia a sua materialidade. Sua sobre-existência supratemporal e a-histórica, como a definiria Kierkegaard, depende de uma predisposição da humanidade para ver na sua figura a idealização de um paradigma infantil de bom provedor, e a eternização da infância num "pai" amável que nunca morre, e volta, ciclicamente, todos os anos, ano após ano, na mesma data. No resto do ano ele reassume a sua imaterialidade mas mantém-se introjetado nos que acreditam nele, controlando suas ações e pensamentos, que serão premiados ou punidos quando da sua rematerialização anual, numa espécie de Juízo Final parcelado. Eu, o Papai Noel do outro shopping e todos os milhares, milhões de papais noéis que surgem nesta época do ano somos apenas caras diferentes do mesmo ente reincidente que traz presente ou castigo, representando uma cosmogonia moral que rege o comportamento humano. Há quem diga que esta entidade que recompensa e pune não passa de um mito infantilizante que aprisiona a razão numa superstição obscurantista. Que Papai Noel não existe. Que eu sou uma fraude. Que o Papai Noel do outro shopping é uma fraude. Que todos os outros papais noéis do mundo são impostores, que por trás das suas barbas falsas há apenas pobres coitados tentando faturar alguns trocados sazonais com a crença alheia, e enganando criancinhas. Não é verdade. Pode puxar a minha barba. Eu existo, eu...

* * *

Nisso o garoto fez xixi no meu colo. Foi levado pela mãe, com pedidos de desculpa. Melhor assim, pensei. Minha explicação só iria assustá-lo. E eu só estaria tentando convencer a mim mesmo. Sou gordo, tenho uma barba naturalmente branca, sou quase um predestinado para ser Papai Noel de shopping. Mas todos os anos preciso combater minhas dúvidas. Como em qualquer caso envolvendo crença e fé, o pior são as dúvidas. Com o xixi eu nem me importo.

* * *

Mas veja como crer é importante. Em seguida sentou no meu colo um homem dos seus 40 anos. Não queria me pedir nada, só queria colo. Tinha estourado o limite do seu cartão de crédito nas compras de Natal e precisava que alguém o consolasse.

ENTRA **GODOT**

Uma estrada rural, num lugar não identificado. O único cenário é uma árvore sem folhas. Sentados sob a árvore, dois vagabundos:

ENTRA
GODOT

Vladimir e Estragon.

VLADIMIR — Nada a fazer...

ESTRAGON — Vamos embora.

VLADIMIR — Você esqueceu? Estamos esperando o Godot.

ESTRAGON — Tem certeza que o lugar é este?

VLADIMIR — A árvore está aqui. Ele...

(Entra Godot.)

GODOT — Alô, alô, alô!

(Vladimir e Estragon se entreolham, apavorados.)

VLADIMIR (para Godot) — O q-que você está fazendo aqui?

GODOT — Ouvi a minha deixa e entrei.

ESTRAGON — Que deixa? Você não tem deixa na peça. Aliás, você não está na peça.

GODOT — Como não estou na peça? Eu sou o personagem principal!

VLADIMIR — Quem disse?

GODOT — Vá ver o cartaz lá fora. Qual é o nome que aparece com mais destaque? Godot.

ESTRAGON — Mas na peça você não aparece. Nós passamos o tempo todo esperando você, mas você não aparece.

GODOT — Nem no fim? Numa apoteose?

VLADIMIR — Nem no fim.

GODOT — Que diabo de peça é esta? Onde foi que eu me meti?

VLADIMIR — É uma parábola. Uma alegoria. Metáfora. Metonímia. Translação. Nós esperamos você, e você nunca aparece. Você pode ou não pode ser Deus. Nós podemos ou não podemos representar a condição humana. Nada é muito claro. É o chamado teatro do...

GODOT — Absurdo! Como é que eu posso ser Deus? Não tenho o físico para o papel. Se bem que, com a maquiagem e um pouco de enchimento...

VLADIMIR — Você não entendeu? Você não aparece. Deus não aparece. Deus talvez nem exista. A humanidade está sozinha. Eu estou sozinho.

ESTRAGON — Epa!

VLADIMIR — Eu estou com esse outro vagabundo, que é pior do que estar sozinho. Depois entram mais dois personagens, que também ficam esperando até o fim da peça. Mas Deus não vem. Não há Deus. O homem não tem salvação. Está condenado ao abandono, a não entender o seu papel e não saber o seu destino. Condenado ao livre-arbítrio.

GODOT — O livre-arbítrio! Está aí! Eu sabia que alguma coisa tinha me feito entrar neste palco. Não foi uma deixa, foi o livre-arbítrio. Decidi entrar, contra a vontade do autor, e entrei. Se Deus não existe, nada está escrito!

VLADIMIR — Ou talvez...

GODOT — O quê?

VLADIMIR — Talvez você seja Deus. Muito bem disfarçado, mas Deus. Você chegou. Nossa espera terminou.

ESTRAGON — Muito bem. Só que a espera durou só dois minutos. O que nós vamos fazer pelo resto do tempo?

GODOT — A gente pode improvisar.

VLADIMIR — Exato. Livre-arbítrio.

ÍNDICE

Todos os direitos desta edição
reservados a Editora Objetiva Ltda.
Rua Cosme Velho, 103
Rio de Janeiro – RJ – CEP: 22241-090
Tel.: (21) 2199-7824
Fax: (21) 2199-7825
www.objetiva.com.br

CAPA E PROJETO GRÁFICO
Crama Design Estratégico

FOTO DO AUTOR
Bruno Veiga

EDIÇÃO
Isa Pessôa

PRODUÇÃO EDITORIAL
Clarisse Cintra

PRODUÇÃO GRÁFICA
Marcelo Xavier

COORDENAÇÃO DE REVISÃO
André Marinho

REVISÃO
Joana Milli
Ana Grillo
Ana Julia Cury

EDITORAÇÃO ELETRÔNICA
Abreu's System

CIP-BRASIL. CATALOGAÇÃO-NA-FONTE
SINDICATO NACIONAL DOS EDITORES DE LIVROS, RJ

V619e

Verissimo, Luis Fernando
Em algum lugar do paraíso / Luis Fernando Verissimo. – Rio de Janeiro: Objetiva, 2011.
il.

198p. ISBN 978-85-390-0297-9

1. Crônica brasileira. I. Título.

11-5792. CDD: 869.98
CDU: 821.134.3(81)-8